O QUE A VIDA ME ENSINOU

O QUE A VIDA ME ENSINOU

Washington Olivetto

Editora Saraiva

Rua Henrique Schaumann, 270
Pinheiros – São Paulo – SP – CEP: 05413-010
Fone PABX: (11) 3613-3000 • Fax: (11) 3611-3308
Televendas: (11) 3613-3344 • Fax vendas: (11) 3268-3268
Site: http://www.saraivauni.com.br

Filiais

AMAZONAS/RONDÔNIA/RORAIMA/ACRE
Rua Costa Azevedo, 56 – Centro
Fone/Fax: (92) 3633-4227 / 3633-4782 – Manaus

BAHIA/SERGIPE
Rua Agripino Dórea, 23 – Brotas
Fone: (71) 3381-5854 / 3381-5895 / 3381-0959 – Salvador

BAURU/SÃO PAULO (sala dos professores)
Rua Monsenhor Claro, 2-55/2-57 – Centro
Fone: (14) 3234-5643 – 3234-7401 – Bauru

CAMPINAS/SÃO PAULO (sala dos professores)
Rua Camargo Pimentel, 660 – Jd. Guanabara
Fone: (19) 3243-8004 / 3243-8259 – Campinas

CEARÁ/PIAUÍ/MARANHÃO
Av. Filomeno Gomes, 670 – Jacarecanga
Fone: (85) 3238-2323 / 3238-1331 – Fortaleza

DISTRITO FEDERAL
SIA/SUL Trecho 2, Lote 850 – Setor de Indústria e Abastecimento
Fone: (61) 3344-2920 / 3344-2951 / 3344-1709 – Brasília

GOIÁS/TOCANTINS
Av. Independência, 5330 – Setor Aeroporto
Fone: (62) 3225-2882 / 3212-2806 / 3224-3016 – Goiânia

MATO GROSSO DO SUL/MATO GROSSO
Rua 14 de Julho, 3148 – Centro
Fone: (67) 3382-3682 / 3382-0112 – Campo Grande

MINAS GERAIS
Rua Além Paraíba, 449 – Lagoinha
Fone: (31) 3429-8300 – Belo Horizonte

PARÁ/AMAPÁ
Travessa Apinagés, 186 – Batista Campos
Fone: (91) 3222-9034 / 3224-9038 / 3241-0499 – Belém

PARANÁ/SANTA CATARINA
Rua Conselheiro Laurindo, 2895 – Prado Velho
Fone: (41) 3332-4894 – Curitiba

PERNAMBUCO/ ALAGOAS/ PARAÍBA/ R. G. DO NORTE
Rua Corredor do Bispo, 185 – Boa Vista
Fone: (81) 3421-4246 / 3421-4510 – Recife

RIBEIRÃO PRETO/SÃO PAULO
Av. Francisco Junqueira, 1255 – Centro
Fone: (16) 3610-5843 / 3610-8284 – Ribeirão Preto

RIO DE JANEIRO/ESPÍRITO SANTO
Rua Visconde de Santa Isabel, 113 a 119 – Vila Isabel
Fone: (21) 2577-9494 / 2577-8867 / 2577-9565 – Rio de Janeiro

RIO GRANDE DO SUL
Av. A. J. Renner, 231 – Farrapos
Fone: (51) 3371- 4001 / 3371-1467 / 3371-1567 – Porto Alegre

SÃO JOSÉ DO RIO PRETO/SÃO PAULO (sala dos professores)
Av. Brig. Faria Lima, 6363 – Rio Preto Shopping Center – V. São José
Fone: (17) 3227-3819 / 3227-0982 / 3227-5249 – São José do Rio Preto

SÃO JOSÉ DOS CAMPOS/SÃO PAULO (sala dos professores)
Rua Santa Luzia, 106 – Jd. Santa Madalena
Fone: (12) 3921-0732 – São José dos Campos

SÃO PAULO
Av. Antártica, 92 – Barra Funda
Fone PABX: (11) 3613-3666 – São Paulo

301.909.001.001

ISBN 978-85-02-12640-4

CIP-BRASIL. CATALOGAÇÃO NA FONTE
SINDICATO NACIONAL DOS EDITORES DE LIVROS, RJ.

O53o

Olivetto, Washington, 1951-

O que a vida me ensinou Washington Olivetto : credibilidade não se ganha, se conquista / Washington Olivetto . - São Paulo : Saraiva : Versar, 2011.

144p. ; 19cm. -   (O que a vida me ensinou)

ISBN 978-85-02-12640-4

1. Olivetto, Washington, 1951-. 2. Publicitários - Brasil. 3. Publicidade - Brasil. 4. Publicidade - Orientacao profissional. 5. Profissões - Desenvolvimento. II. Título. II. Série.

11-2085.   CDD-926.591
                               CDU-929:659.1

14.04.11   15.04.11   025750

Direção editorial	Flávia Alves Bravin
Coordenação editorial	Ana Paula Matos
	Gisele Folha Mós
	Juliana Rodrigues de Queiroz
	Rita de Cássia da Silva
Produção editorial	Daniela Nogueira Secondo
	Rosana Peroni Fazolari
Marketing editorial	Nathalia Setrini
Arte e produção	Usina de Ideia
Capa	Aero Comunicação
Produção gráfica	Liliane Cristina Gomes

Contato com o editorial
editorialuniversitario@editorasaraiva.com.br

SaraivaUni

VERSAR

Editora Versar
Rua Albino Rodrigues Costa, 36 CEP 04016-020 – São Paulo – SP
Fone: (11) 5083-1274 – www.versar.com.br

Editor Luís Colombini

Impressão e Acabamento
RR Donnelley

Para minha mulher, Patrícia,
sem a qual eu não seria possível.

SUMÁRIO

INTRODUÇÃO

No início de 2010, recebi do editor Luís Colombini os dois primeiros volumes da coleção *O que a vida me ensinou*, editados pela Saraiva em parceria com a Versar. O primeiro trazia os saberes acumulados de Reinaldo Polito, o mago brasileiro da expressão verbal. Li tudo. Gostei. Creio que saí do livro falando melhor.

Em seguida, devorei as 109 páginas de textos do professor e consultor Mario Sergio Cortella, um bambambã da Filosofia e das Ciências da Religião.

Eclético, ele alinhava inteligentemente assuntos diversos, como ética e futebol, vida familiar e gestão do conhecimento, responsabilidade social e educação. Numa linguagem simples, sem a arrogância erudita de alguns de nossos acadêmicos, ele ministrou ao leitor incríveis lições de vida. Li, reli e indiquei para os amigos.

De repente, chegou a minha vez. Logicamente, fiquei honradíssimo com o convite. No entanto, pintaram duas preocupações:

1. Eu teria que me concentrar para manter a qualidade da série.

2. Precisaria de muita reflexão e julgamento crítico para escolher as melhores lições aprendidas durante a vida.

Como sou basicamente um profissional de comunicação, que aprende ouvindo e contando histórias, resolvi recorrer a parcerias com os propositores do projeto.

A princípio, reuni-me com o próprio Colombini, jornalista tarimbado, capaz de fazer as perguntas certas nas horas certas. Foi o pontapé inicial desta aventura.

Logo em seguida, o papel de "provocador intelectual" foi assumido pelo jornalista Walter Falceta Jr., também experiente e, assim como eu, descendente de italianos e corinthianíssimo.

Entre longas conversas na agência e pizzas divididas, pudemos vasculhar um mar de episódios e separar aqueles mais carregados de simbolismo, aqueles que resumiam meus valores e princípios. A partir dessa seleção e categorização, pude construir essa síntese da minha saga de aprendizado.

Com você, leitor, gostaria de dividir essas experiências. Digo também que me incomoda um pouco esse tempo pretérito do título. A vida segue me ensinando, dia após dia. Descubro o novo em cada erro, em cada acerto, em cada encontro, em cada lágrima, em cada sorriso. Prometo seguir como bom aluno da vida.

Gostaria também de salientar que as ideias expostas a seguir fazem parte de contextos de vida. Valem numa cultura, num lugar e num espaço específicos. Longe de mim desejar impor verdades absolutas.

Portanto, sinta-se à vontade para me interrogar, complementar e até contestar. Se houver essa interação dinâmica, poderemos aprender muito mais. Juntos.

Esse é, aliás, o combustível de uma fábrica de ideias, como uma agência de publicidade. Diferentes átomos de saber se chocam e produzem energia criativa.

Vamos manter esse modelo de harmônica tensão. Um abraço e boa leitura.

A INDEPENDÊNCIA
É SEDUTORA

Sem invenções, comecei a trabalhar por três fatores. Primeiro, porque tinha vergonha de viver de mesada, ainda mais por saber que meus pais faziam um tremendo sacrifício para me sustentar. Em segundo lugar, porque minha tia bem-sucedida, muito generosa, não tinha qualquer obrigação de arcar com os meus gastos. O terceiro motivo é bem prosaico: o interesse por mulher. Isso porque não bastava eu ter dinheiro para ir aos lugares. Era necessário que fosse visto como um cara que tinha um trabalho. Portanto, a ideia de independência era muito sedutora.

No caso do sexo oposto, eu tinha que fazer algo para sobressair. Lógico que eu preferia ser o Mick Jagger ou o artilheiro da Seleção Brasileira, mas não tinha grande talento para o rock e nem para o futebol. Então, precisava achar o meu caminho. E a publicidade era um norte.

Nesse tempo, eu preferia as mulheres mais maduras. Aliás, quando se tem 18 anos, uma mulher de 25 parece veterana.

Essas eu tinha interesse em impressionar. Ainda moleque, preocupei-me também com minha imagem nas reuniões. Assim, deixei o bigode e a barba crescerem para parecer mais velho. Felizmente, era uma estética da época.

Logicamente, tinha tesão em fazer o que fazia, em criar, em comunicar. A experiência do trabalho foi generosa comigo. E isso me incentivou a trabalhar mais.

Meu pai ficou muito pasmo com o meu primeiro emprego. E, particularmente, com o segundo, porque julgou o salário absurdamente alto. Era um valor no qual ele, sinceramente, não acreditava. Ele não tinha ideia clara das características do trabalho na publicidade. Por vezes, é uma profissão que tem curta durabilidade. Mas compensa porque se muda de faixa salarial muito rapidamente.

Fiz um estágio de um mês e, logo depois, já tinha um emprego. Depois de seis meses, havia ganhado um Leão de Bronze em Cannes e, por isso, recebera propostas para ocupar cargos muito bem remunerados.

Meu pai, em sua avaliação clássica dos ofícios, achava que iria se dar bem quem se tornasse médico, engenheiro ou advogado. Naquela época a publicidade ainda não gozava de plena aceitação social. Sim, houve um tempo em que não era de bom tom escrever "publicitário" nas fichas de hotel. O sujeito não era bem visto. Era taxado como picareta. Em meus primeiros anos de atividade, as relações entre os publicitários e os jornalistas não eram íntimas e nem muito amistosas. Quem inaugurou essa ponte, até por ser muito amigo da rapaziada da imprensa, fui eu.

Aliás, sem cabotinismo, eu fui um dos caras responsáveis por valorizar o papel do profissional publicitário. Só é preciso dizer que já peguei o bastão em velocidade, passado pela geração anterior, como se verá mais adiante. Devo muito a eles. Já havia uma onda. Fui nela. Com as premiações internacionais e outras conquistas, aumentei muito a visibilidade da profissão. Foi tanto que essa visibilidade se tornou hoje até mesmo exagerada.

Em todo caso, se houve sucesso, ele se deve principalmente às primeiras experiências no círculo produtivo. Elas foram positivas. Não me afastaram. Pelo contrário, me atraíram. E o trabalho sempre teve essa característica para mim: ou ele é totalmente adorável ou é absolutamente insuportável. É muito bom para o ego quando uma campanha é benfeita, quando tem qualidade, quando o público discute a mensagem na rua. Aí, você fica superfeliz e dispara a frase jubilosa: "puxa, ainda me pagam para fazer isso".

Mas tem o outro lado. Quando você faz malfeito é muito frustrante. E tem um detalhe: médio também é malfeito e frustrante, pelo menos segundo os meus critérios de avaliação. A vida me ensinou que, na publicidade, o "médio" e o "correto" se enquadram no conceito de "malfeito".

Na fase inicial da carreira, o grau de acerto era muito alto. Os eventuais erros eram até encobertos pelos colegas e chefes, que demonstravam carinho por mim e tinham altas expectativas quanto ao meu desenvolvimento. Hoje, posso admitir isso e manifesto minha gratidão a essas pessoas. Acho que alguns erros dessa fase, na Lince, na Casabranca e na DPZ, foram corrigidos sem que eu percebesse, justamente porque o pessoal acreditava que eu tinha tudo para dar certo.

Com o tempo, comecei a me expor mais e a correr mais riscos. Para ter uma ideia, ainda muito jovem, em 1973, realizei uma campanha por conta da qual o cliente foi "apedrejado". Era a imobiliária que mais vendia casas e apartamentos em São Paulo: a Clineu Rocha. Nosso objetivo era incentivar as pessoas a comprar mais imóveis, como forma de realizar bons investimentos.

A proposta era utilizar a ideia de uma opção inevitável, quase religiosa, pela melhor linha de negócios. Configuramos os corretores como apóstolos, pastores, rabinos desse movimento. O primeiro anúncio em jornal tinha o título: "Siga o exemplo de Deus: more numa casa grande, confortável e bem decorada". Nessa peça, a ilustração era uma catedral.

No outro domingo, a frase de impacto era: "Se imóveis não fossem bom negócio, os judeus não compravam tantos". O problema é que no dia anterior, sábado, 6 de outubro, feriado judaico de Yom Kippur, Egito e Síria haviam iniciado uma guerra contra Israel, ultrapassando as linhas de cessar-fogo no Sinai e nas Colinas de Golã.

Obviamente, não houve tempo de mudar nada. Os jornais estavam sendo impressos nas rotativas enquanto os soldados trocavam os primeiros tiros no Oriente Médio. Foi uma coincidência. Desagradabilíssima.

Muita gente, no entanto, viu preconceito no anúncio, porque havia a ideia do petróleo como bom negócio, como interesse do Ocidente. Ficaram putos da vida. Ainda mais porque eu posicionava os corretores como rabinos. Naquele domingo, dia 7, eu estava no Guarujá e vi o anúncio bombar. As pessoas o comentavam e o mostravam para os amigos. A mãe de um amigo, uma senhora judia, ficou doida de raiva. Até porque eu botei alguns sobrenomes de amigos meus judeus na ficção publicitária.

O jeito foi pedir desculpas, muitas desculpas. Fizemos até anúncio em revistas específicas da comunidade, como a *Shalom*. Penamos para deixar claro que não tinha ocorrido ali um gesto indelicado e que não tínhamos emitido qualquer opinião sobre as políticas de Israel.

Na verdade, os judeus não são carrancudos. O humor deles é fino. É historicamente inteligente, sensacional. O humor norte-americano, por exemplo, descende do humor judeu. E esse anúncio descendia dessa tradição. Enfim, mexemos com suscetibilidades, mas foi por conta do contexto. Isso acontece. Só erra quem tenta. É do jogo.

Ainda nos anos 1970, enfrentei uma outra polêmica. Nessa época, eu já era amigo de Mãe Menininha do Gantois, e no dia das mães a coloquei num anúncio das máquinas de escrever Olivetti. Era um jeito de ajudá-la. Com o cachê, ela poderia reformar o terreiro do Gantois. Fiz tudo na melhor das intenções.

O problema é que alguns religiosos fanáticos acharam que eu tinha me aproveitado dela. Não sabiam que era para auxiliá-la, para gerar fundos para a arrumação do telhado. Foi numa época em que as pessoas não tinham uma percepção muito acurada das metáforas e simbolismos da propaganda.

Além disso, há períodos em que a publicidade fica mais exposta e as pessoas a elegem como foco das mais variadas reclamações. Assim como há sempre um político demagogo apontando seus canhões contra o setor, acusando-o disso ou daquilo, utilizando artifícios moralistas para desviar o foco dos verdadeiros problemas sociais. Também faz parte do jogo. Aprendi a me preparar para resistir civilizadamente a esse tipo de oposição oportunista.

Em minha visão, portanto, há sempre um cruzamento de excitação e cobrança no ato criativo. O resultado é sempre adorável ou insuportável. Felizmente, tive uma quantidade enorme de experiências adoráveis, e uma muito pequena de insuportáveis.

Nos tempos atuais, a parcela de grandes sucessos é um pouco menor. Isso porque existe a repetição. Há sensações que já foram vividas, e por isso parecem menos intensas. Analisando todo o setor, também se reduziu o número de bons trabalhos. A publicidade atravessa um vale. São ciclos.

E passamos por um trecho em que predomina a baixa qualidade.

Vivemos globalmente um período de revisitação, de demandas confusas, de ruído na informação, de dúvida quanto aos canais, de competições menos saudáveis dentro da classe. O Brasil também sente os efeitos dessa crise. Isso porque, em alguns casos, por conta do deslumbramento do importador, ainda trazemos de fora, sem necessidade, uma série de defeitos e incongruências da atividade.

O desafio de hoje da publicidade, como de tantas outras áreas, é lidar com a convergência de mídias e com a exposição das campanhas a diversos públicos. A informação está disponível a muita gente. Portanto, é maior a possibilidade de que alguém se sinta desprezado, humilhado ou ofendido. É preciso ter cuidado, balizar bem o fluxo criativo e olhar para as pesquisas. Se a peça está disponível para 10 milhões de pessoas, consultar um grupo seleto de 15 telespectadores não compõe uma amostra confiável – mas é melhor do que nada.

Os fóruns de internet oferecem um bom exemplo dessa variedade de opiniões. Podemos ler mil posts a favor, mas pelo menos 10 ou 12 vão malhar impiedosamente qualquer programa de TV ou peça publicitária. Convém salientar, também, que a internet já democratizou a escrita, mas não democratizou o gesto de escrever bem. Nem fez com que as pessoas ficassem mais educadas. Por estarem distantes dos interlocutores, e muitas vezes anônimas, sentem-se autorizadas a exagerar no tom e a deixar de lado as boas maneiras.

Quanto ao poder de síntese, o Twitter é um exemplo desse descompasso. A maior parte dos usuários não sabe escrever comprido, que é mais fácil. Assim, acabam se enrolando totalmente quando precisam escrever alguma coisa curta, com o máximo de 140 caracteres, que é naturalmente mais difícil. No Twitter, predomina a escrita ruim. Enfim, vale aquela frase que ora é atribuída ao escritor Oscar Wilde, ora ao físico e filósofo Blaise Pascal: "fiz esta carta mais longa porque não tive tempo de fazê-la curta".

A AVENTURA
DE APRENDER

Eu confesso: nunca fui um ótimo aluno, daqueles que ganham medalhas e são os xodós das professoras. Na verdade, muitas das melhores lições que aprendi não vieram do ensino escolar, tampouco dos livros didáticos. Muito do bom aprendizado veio da descoberta no dia a dia, das experiências não agendadas.

Se minha vida é uma referência de êxito, parte dele devo a Monteiro Lobato, o maior escritor dedicado ao público infantil que o Brasil já teve. Eu tinha uns 5 anos e já folheava os livros dele. As descrições eram vívidas, coloridas. As ideias eram expostas de maneira direta, mas com uma tremenda sensibilidade.

Devorei *Reinações de Narizinho*, *Caçadas de Pedrinho*, *O Picapau Amarelo* e *Os Doze Trabalhos de Hércules*, entre outras obras. Na época, a garotada não tinha ideia das outras atividades do intelectual de Taubaté. Ele era formado em Direito e escrevia também para gente grande. Produzia artigos, críticas e fizera até um livro sobre a importância do petróleo e do ferro.

Há muitas críticas consistentes a Lobato. Em alguns textos, ele deu a entender que era contrário à mestiçagem, como em *A Barca de Gleyre*, de 1944. Também desceu o pau nos modernistas de 1922, exercitando sua verve conservadora.

Hoje, muitos anos depois, mesmo conhecendo esse outro lado do escritor, considero-o uma referência pedagógica. Era um bom comunicador, construía personagens marcantes e estava sempre engajado na luta por alguma causa. A seu modo, era apaixonado pelos temas brasileiros, e passou esse sentimento para muitas gerações.

Posso dizer que esse mergulho antecipado no mundo da leitura me rendeu bons frutos. Eu não era aquele estudante padrão da época, que passava horas diante do livro decorando a lição de casa. Tampouco ficava repetindo exercícios com fórmulas matemáticas. Lendo e observando o mundo, percebi que era possível aprender de outra forma, sem os métodos tradicionais de introjeção forçada de conteúdos. Mesmo fugindo dos métodos que então vigoravam, eu conseguia me dar bem nos exames. Tirava de letra.

Tantos anos depois, considero que sempre fui mais aluno do aprendizado do que do diploma.

Nos primeiros anos de escola, destacava-me mais justamente na área da escrita. Talvez porque eu tenha aprendido a escrever por meio da leitura. Também exibia talento na interação com os núcleos sociais, me dando bem com os pais dos colegas e com as meninas. Já demonstrava, desde cedo, certa capacidade de persuasão, senso de humor e facilidade de travar relacionamentos. Eu era intuitivo. E bom comunicador.

Na adolescência, fiquei dividido entre a vontade de escrever e a vontade de vender, seguindo uma influência de meu pai. Na hora de racionalizar, percebi que a publicidade misturava as duas coisas. Era o elemento de convergência.

Acredito que todo mundo nasceu com um dom para fazer alguma coisa especial, mas são poucos os que descobrem que coisa é essa. Outros até descobrem, mas não encontram meios de atuar na área. Tive a sorte de descobrir para que eu servia na vida – e descobrir muito cedo. Poucos têm esse privilégio. E, por isso, poucos são aqueles bem-sucedidos e realmente felizes no que fazem profissionalmente.

Aos 17 anos, prestei vestibular. Passei na PUC-SP e na FAAP. Foi uma época de descoberta da autonomia. Uma lei que durou menos de um ano, permitiu-me obter minha carteira de motorista. Ganhei um carro e fiquei muito feliz. Tudo parecia ao meu alcance. Eu tinha mobilidade.

Curioso, eu percorria as ruas de São Paulo e também as estradas de letrinhas dos bons livros. Naqueles tempos de faculdade, conheci *O meio é a mensagem*, obra do canadense Herbert Marshall McLuhan, cujas ideias eram ostensivamente debatidas pelo pessoal do *Pasquim*, como Paulo Francis e Millôr Fernandes. Foi quando comecei a compreender o sentido da palavra mídia. Decidi, então, que gostaria de escrever para todas as mídias. Queria estar nos jornais, nas revistas, no rádio e na televisão.

McLuhan tinha teses interessantes sobre os meios de comunicação, tidos como extensões do homem. Temas como "prótese técnica" e "aldeia global" geravam boas discussões entre os estudantes de comunicação. Não fazia muito tempo que o Intelsat I, o primeiro satélite de comunicação comercial, tinha sido lançado. McLuhan foi profético ao perceber as mudanças no mundo de pessoas multiconectadas, sintonizadas nos mesmos emissores de mensagens.

A COISA CERTA
NO TEMPO CERTO

O sucesso sempre depende de disciplina, dedicação e algum talento. Mas também da escolha do lugar certo, no tempo certo. Afinal, somos resultado das ondas que estamos surfando. Os premiados publicitários brasileiros de hoje são beneficiários do trabalho dos desbravadores do segmento.

Minha geração deve muito ao trio DPZ, ou seja, a Roberto Duailibi, Francesc Petit e José Zaragoza. Essa história começa lá atrás, em 1962, com o estúdio de design gráfico Metro3. A partir da fundação da DPZ, em 1968, as campanhas de sucesso foram acompanhadas de ações que profissionalizaram a atividade.

Naqueles primeiros tempos, não houve grande êxito financeiro, mas os anúncios de qualidade renderam prêmios e a valorização dos publicitários.

Outro desses precursores do negócio foi Julio Ribeiro, que começou prestando serviços para a McCann Erickson, na década de 1950, e depois fundou a Talent, uma agência diferenciada, que virou referência no país.

Essa turma já estava na estrada quando iniciei na área. Dedicavam-se a abrir novos caminhos para a atividade. Por isso, posso dizer que a vida me ensinou a respeitar e reverenciar esses precursores. Aprendi, portanto, que grandes coisas acontecem em contextos apropriados. Empreendimentos dão certo quando são inaugurados e desenvolvidos no tempo adequado.

Ainda jovem, percebi que deveria compreender a dinâmica de cada época para comunicar bem. Cada tempo tem seus objetos de interesses, seus conteúdos próprios, suas fórmulas de construção da mensagem. O Modernismo deu a tônica dos anos 1920. Tem uma amarração perfeita em 1928, com o Manifesto Antropofágico, de Oswald de Andrade.

Esse movimento ecoaria fortemente ainda por décadas, e suas ondas banhariam a praia dos anos 1960 e 1970. A metáfora era espetacular. Os antropófagos deveriam comer seus inimigos, assimilando suas qualidades. O que não fosse adequado deveria ser descartado.

Essa digestão crítica realizada no estômago brasileiro se constituiu em uma sacada genial, que definiu a linha criativa de nossa produção cultural e midiática.

Nos anos 1950, com o concretismo, aprendemos a ser mais sintéticos, racionais e a lidar com uma arte transmidiática, que flutuava da música para as artes plásticas, expressando-se fortemente na poesia. Nesse tempo, a grande lição foi derrubar os muros que separavam a forma e o conteúdo. Augusto e

Haroldo de Campos, Décio Pignatari, entre outros cobras da reinvenção simbólica, geraram saberes refinados para revolucionar a literatura, o jornalismo e também a publicidade.

Há quem diga que o Rio de Janeiro foi o melhor lugar da história humana entre o final dos anos 1950 e o início dos anos 1960. Naquele momento, nasceu a Bossa Nova. Nos salões de dança, nas casas de show, nos restaurantes e nos bares, sobrava elegância, suave sofisticação e livre troca de ideias inteligentes.

Na década de 1960, em sintonia crítica com a *pop art*, esses tabletes de vanguarda gerados nas décadas anteriores fizeram germinar o tropicalismo. As traduções dessa nova estética eram encontradas especialmente na música, em composições de Caetano Veloso, Gilberto Gil, Torquato Neto, Mutantes e outros tantos. Mas não parava aí. Todo esse caldo cultural influenciava gente que mexia com outras formas de expressão, como Hélio Oiticica, nas artes plásticas, e José Celso Martinez Corrêa, no teatro.

1968, de forma especial, é o ano que não terminou, conforme decretou Zuenir Ventura. Foi um período de barreiras rompidas. Para a mocidade inquieta, os filhos da Segunda Guerra Mundial, todo sonho era possível, fosse no Brasil maltratado pelos militares, fosse na Paris dividida pelas barricadas e pela voz rebelada de Dany Le Rouge. Armas seriam substituídas por flores. A vida comunal faria todos felizes. Quem podia dizer que não?

Se tudo estava mudando, eu vi no Pacaembu um prenúncio da temporada de revoluções. Em março, o Corinthians bateu o Santos por 2 x 0, com gols de Paulo Borges e Flávio, depois de 11 anos sem vencer o rival pelo Campeonato Paulista. Lembro da cidade exultante, como se o povão tivesse derrubado a sua Bastilha particular. Foi festa até o amanhecer.

Em outubro, eu estava no auditório da TV Tupi, em São Paulo, para assistir ao programa de vanguarda *Divino, Maravilhoso*, capitaneado por Caetano e Gil, com Jorge Ben, Gal Costa e Os Mutantes. Na bolsa, eu carregava uns livros do Roberto Piva, com poesia de conteúdo altamente transgressivo. Ele tinha uma visão erotizada e surreal da cidade, desfocada pela lente dos alucinógenos. A leitura dos poemas me ensinava que as coisas podiam ser vistas e sentidas de modo diferente. Na escola e nos bares, eu me exercitava nessas metáforas. Eu estava arranjando namoradas de boa cabeça, e com elas estabelecia interações inteligentes.

Toda essa efervescência fez as pessoas mais corajosas, mais dispostas a clamar por liberdade. O ano terminou com a edição do Ato Institucional Nº 5, que representou um duríssimo golpe na democracia e concedeu amplos poderes ao regime militar.

Há quem diga que os anos 1970 são sombrios, um vale temporal de desilusão. Discordo em parte. Continuamos fazendo as coisas, comunicando, mudando consciências. Acredito que os livros de história não catalogaram bem os acontecimentos.

Por volta de 1973, há um renascimento do espírito libertário dos anos 1960, mesmo com todas as restrições impostas pela ditadura militar. Esse trecho dos anos 1970 tem um espírito "odara". Naquela época, promoveram-se bandalheiras deliciosas.

Tudo que acontece induz à reflexão e abastece o espírito criativo. De certo modo, até mesmo a abominável censura ajudou indiretamente a refinar o pensamento.

Em 1974, em parceria com Francesc Petit, ganhei o primeiro Leão de Ouro brasileiro em Cannes, com a peça *Homem com mais de quarenta anos*, um filme produzido para o Conselho Nacional de Propaganda (CNP). Não por acaso, é um *case* que merece destaque neste capítulo. Fala justamente de tempo. Da relatividade dele.

Utilizamos imagens de personalidades mundiais como Chaplin, Churchill, João XXIII, De Gaulle, Gandhi, Picasso, Sinatra e Einstein para mostrar que o melhor tempo de um homem pode ser justamente aquele vivido após os 40 anos de idade. Todos esses homens protagonizaram grandes façanhas já veteranos, principalmente por conta da experiência acumulada.

A proposta era sensibilizar os anunciantes para que suprimissem de seus classificados a informação de que profissionais acima dos 40 anos não podiam se candidatar às vagas oferecidas.

Se naquele trabalho a ideia foi repensar conceitos associados aos mais maduros, a peça *O primeiro sutiã*, produzida para a Valisère, considerava a importância da autodescoberta para os mais jovens. Esse trabalho, realizado em 1987, numa parceria com Camilinha Franco e Rose Ferraz, também golpeou paradigmas relativos à passagem do tempo.

Para muita gente, até então, esse rito de passagem das meninas era visto com desconfiança, inquietude e incômodo silêncio. Havia uma série de tabus associados ao uso das roupas íntimas, especialmente por parte daquelas que estavam se convertendo em mulheres.

A premiadíssima propaganda, gerada na então W/GGK, mostra um modelo diferenciado de abordagem, sutil, em que a percepção da mudança gera uma resposta rápida e generosa na família. Não há diálogos, porque eles nem são necessários nesse caso. O momento mágico é celebrado com um presente simples e necessário. O sutiã apresenta-se como elemento simbólico relevante no momento em que a garota se torna uma mulher. É um ícone do respeito que devemos aos mais jovens.

Acredito que a melhor forma de fechar esse capítulo é falar de mais um trabalho do qual muitos se lembram, o que desenvolvemos para a Bombril. A série de comerciais com Carlos Moreno é a mais longeva da propaganda mundial.

O garoto Bombril nasceu em 1978, em uma parceria criativa com Francesc Petit, na DPZ. Na época, o público-alvo (isto é, as donas de casas) estava cansado das propagandas convencionais de produtos de limpeza, daquele "lava e passa" sem fim. A proposta foi introduzir um personagem humano, simpático, educado, um pouco constrangido por estar na TV, capaz de gerar empatia e passar a mensagem sem aborrecer as telespectadoras.

Na época, Carlos Moreno era um jovem de 24 anos, e pensava que aquilo fosse mais um bico em sua carreira de ator. Enganou-se. A propaganda fez um sucesso estrondoso e se repetiu muitas vezes, com narrativas diferentes. Curiosamente, em vez de cansar o receptor, Carlos Moreno o cativou. Varou o tempo. Diante das TVs dos grandes magazines, ainda hoje, as pessoas param para ver o garoto tímido e engraçado.

Em 2010, trinta e dois anos após sua primeira aparição, Carlos Moreno ainda divertia os brasileiros na campanha da WMcCann em que aparecia caracterizado como cada um dos principais candidatos à presidência da República: Dilma Rousseff, José Serra, Marina Silva e Plínio Sampaio. O locutor sentenciava: "Sujeira, não. Bom Bril é a solução. Para um Brasil limpinho, vote Bom Bril".

Muita gente me indaga sobre o segredo da durabilidade desse formato. Afinal, Carlos Moreno deixou de ser jovem, mas suas aparições continuam encantando, inclusive a garotada. Convém dizer que ele ainda vende, e faz feliz o anunciante. As centenas de peças encheram a minha prateleira de prêmios e resistiram olimpicamente a mudanças nos padrões de comportamento, a choques econômicos, a alterações na estrutura familiar, a metamorfoses no universo da cultura e a construção de novos arquétipos comunicantes. Como, afinal?

Posso dizer que algumas virtudes são perenes. Se lidam com valores e princípios, são percebidas como positivas em qualquer tempo – e isso é algo que vale para qualquer um, em qualquer tempo. Carlos Moreno manteve o DNA de sua mensagem. Sempre foi honesto, franco, transparente em suas aparições e teve o suporte de produtos que entregavam as qualidades prometidas. Isso não muda. O impacto foi positivo para uma dona de casa que atingia 50 anos em 1978. É o mesmo para sua neta, que assiste aos comerciais no início da segunda década do século 21.

Mudou, no entanto, a formatação, a temática de apoio, o figurino, o elenco de coadjuvantes. Carlos Moreno foi vivendo cada época, renovando-se, atualizando seu repertório, vivendo sempre o tempo presente. Quando iniciou sua saga, estava temporalmente mais próximo de Patrícia Lucchesi, a atriz recém-adolescente que protagonizou a propaganda da Valisére. Em 2010, aos 56 anos, estava mais próximo de Gandhi e Picasso, referências da campanha da CNP.

Carlos Moreno sobreviverá enquanto soubermos interpretar o seu tempo. Será ouvido enquanto tiver coisas a dizer para as pessoas do tempo presente. Ele é o mesmo. Mas é sempre outro. Sempre diferente. Talvez um pedacinho da letra de *Como uma onda*, dos meus amigos Lulu Santos e Nelson Motta, explique essa receita de eterna juventude. Vale para o garoto Bombril. Vale para mim. Vale para você.

Nada do que foi será
De novo do jeito que já foi um dia
Tudo passa
Tudo sempre passará

A vida vem em ondas
Como um mar
Num indo e vindo infinito

O MEU ÓCIO
CRIATIVO

Normalmente, sou bastante relaxado. Porém, num momento de dificuldade, tendo a me concentrar e a me superar. Cresço nos momentos adversos. Nem creio que seja uma qualidade. É uma característica minha. Talvez eu tenha nascido assim. Talvez seja um traço de personalidade definido ainda na infância.

Esse jeito de ser já se expressava entre 1955 e 1956, quando tinha meus 5 anos de idade. Um dia, eu fervi. Comecei a suar. Depois, tiritei de frio. Minha mãe logo detectou a febre, uma febrona. Para me ver foi chamada uma tia minha, diretora de um serviço de saúde na capital.

Ela fez com que me examinassem, mas não souberam determinar a enfermidade que me acometia. Os exames clínicos tampouco esclareceram o mistério. Suspeitaram, então, que o mal oculto fosse o poliovírus, causador da poliomielite, a popular "paralisia infantil".

Pronto! Um susto tremendo na família. Na época, os pais viviam assombrados com imagens publicadas nos jornais e revistas. Mostravam crianças com poliomielite bulbar e paralisia do diafragma incapazes de respirar. Nesses casos, eram mantidas vivas por medonhas máquinas de pressão cíclica. Eram os chamados "pulmões de ferro", mais assustadores do que a própria morte.

A primeira vacinação em massa contra o pólio estava sendo realizada justamente naquela época, pelo Dr. Jonas Salk. Mas isso nos Estados Unidos. Era ainda uma profilaxia considerada precária. A boa vacina, desenvolvida pelo Dr. Albert Sabin, essa da "gotinha" simpática, somente seria lançada no mercado na virada de 1961 para 1962.

Pelo sim e pelo não, pela falta de certeza e de remédio apropriado, resolveram me imobilizar e confinar num quarto da casa. Você pode imaginar o que é encarcerar um moleque serelepe por conta de uma doença apenas presumida?

Primeiro, pensei em me revoltar. Depois, compreendi que se tratava de justa precaução. Meus familiares não me queriam torto ou no terrível "pulmão de ferro". Além disso, desejavam preservar de uma possível contaminação minha irmã recém-nascida. Aceitei o tratamento preventivo, que incluía uma alimentação especial e um trabalho regular de fortalecimento de músculos.

Ali, na cama, comecei a pensar num jeito de fazer o tempo escoar mais rapidamente. Assim, sem muito método, com a ajuda do povo de casa, especialmente dessa tia diretora de um serviço de saúde, aprendi a ler e escrever. De repente, eu podia fugir da minha "cela" pela janelinha dos livros. Conhecia lugares e vivia aventuras por meio da magia das palavras impressas.

Certamente, esse episódio me ajudou a desenvolver métodos intuitivos de autoaprendizado e, de certa forma, me lançou também no universo das ideias e da comunicação. Foi um limão que transformei em boa limonada.

Passei praticamente um ano nesse processo de terapia preventiva. Quando voltei a visitar o quintal de casa, tinha como bagagem os saberes proporcionados pela leitura. E como prêmio pelo sacrifício, uma estrutura muscular à prova de estiramentos e distensões, além de uma quantidade verdadeiramente absurda de cálcio no corpo.

Até hoje, quando comprimo os dedos, faz um barulho que assusta qualquer desavisado. Creck! Creck!

LIÇÕES
DE CASA

Sempre prestei muita atenção nos exemplos de "família", mesmo na época em que desconhecia o significado mais profundo desse conceito. Desde criança, procurei entender o sistema de relações entre os entes queridos e o papel de cada um no grupo. Sabia que podia aprender com cada um deles.

No caso dos italianos imigrantes e descendentes, a família era um núcleo de diversões, exercícios artísticos, trocas de informação e compartilhamento de prazeres gastronômicos.

Meu Olivetto veio da Itália, pelo bisavô Paulo. Esse era pobre, coisa até estranha e rara em sua cidade natal. Portofino é uma comuna de Gênova, bonita e elegante, habitada e frequentada por milionários.

Seu filho, também Paulo, meu avô, já nasceu remediado, em Piracicaba, no interior de São Paulo e, depois, decidiu estabelecer-se na capital.

Aprendi muito com ele. Era um sujeito criativo, mas da criatividade física, concreta. Tinha o prazer da invenção. Foi dono de uma conhecida autoescola, a Vencedor.

Um dia, preocupado com as barbeiragens dos alunos, começou a pensar num dispositivo de intervenção imediata do instrutor. Mexendo aqui e ali nos carros, acabou por desenvolver um sistema de embreagem e freio no lado do passageiro. Com o tempo, a ideia foi sendo adotada pelos concorrentes e virou padrão.

Por conta dele, também fiquei apaixonado pelo basquete, impressionado com as vitórias do XV de Piracicaba.

Paulo era casado com Judite, uma senhora de ascendência portuguesa. Essa mistura já me indicava, desde cedo, as virtudes da miscigenação cultural que caracteriza São Paulo.

Meus avós maternos, Gerardo e Lucia, nasceram na Itália. Eram comerciantes. Tinham uma leiteria no bairro da Luz, mais precisamente na Rua São Caetano, que depois se tornaria a "rua das noivas". O estabelecimento comercial ficava na frente; a casa, nos fundos.

Com eles, obtive duas lições. Primeiro, descobri o que era ganhar a vida honestamente. Trabalhavam muito e atendiam com gentileza e respeito a clientela. Com eles, também aprendi a ter prazer em comer.

Lucia (que se deve pronunciar Lutchía) era uma espetacular cozinheira. Tantos anos depois, ainda me dá água na boca só de se lembrar de seus pratos. Os almoços de domingo costumavam ser lá. Massas, aves, carnes, saladas e sobremesas: tudo excelente.

Talentosa, Lucia sabia misturar ingredientes simples para produzir sabores mágicos. Fosse a farinha, fossem os ovos, fossem os temperos, cada coisa tinha medida certa, numa fórmula modelada na tradição e carinhosamente guardada na memória.

A confecção dessas obras-primas dependia também do tempo certo no forno ou na frigideira, da combinação de cada elemento. Aos poucos, percebi que as melhores receitas eram relativamente simples, mas que o prêmio ao paladar resultava de um conhecimento técnico desenvolvido no curso de muitas gerações.

Lucia foi capaz de internalizar esse saber específico e automatizá-lo. Ou seja, tinha de cabeça o roteiro da perfeição. No entanto, nunca deixou de colocar paixão e carinho em suas artes culinárias.

Com certeza, essa conduta vale para tudo no campo do "fazer". É preciso aprender muito bem a técnica, exercitá-la, fazer do critério um hábito e, ao mesmo tempo, introduzir sais e açúcares do espírito em cada trabalho realizado. Essa fórmula serve para a cozinha – e também para a produção de encantos subjetivos numa agência de publicidade.

Meu pai, que faleceu em 1994, foi outra forte referência em minha formação. Era um ótimo vendedor, representante da fábrica de pincéis Tigre. Durante muito tempo, sua frustração era não ter cursado Direito. Já maduro, com mais de 40 anos, ingressou na faculdade. Estudou de maneira devotada e formou-se. Optou por ser um advogado mediano, em vez de manter-se como vendedor excepcional.

Sempre me incentivou a ler e a escrever. Quando criança, eu admirava seu trabalho, promovendo e comercializando produtos. Nesse labor, ele apresentava uma característica muito forte que acabei transportando para a minha profissão: a busca e a manutenção da credibilidade.

Meu pai era um vendedor que, paradoxalmente, não precisava convencer ninguém a comprar. Quando visitava os depósitos de material de construção, nunca ficava fazendo discursos sobre a virtude dos produtos ou coisa e tal. As pessoas simplesmente confiavam, acreditavam nele. Diziam coisas como "olha aí o que está faltando e pode tirar o pedido". Sabiam que os itens definidos por meu pai iriam realmente incrementar as vendas do estabelecimento.

Minha mãe, uma dona de casa prestimosa, construiu a minha concepção do amor. Era protetora e muito orgulhosa dos filhos. O tempo passou, os costumes mudaram, mas esses exemplos maternos ainda me parecem fundamentais à difusão da cultura do afeto nas sociedades. Resumindo: mães devotadas ainda são fornecedoras de boa gente para o mundo.

Nascida em 1930, minha mãe era bem jovem quando eu cheguei, mas dedicou-se de maneira criteriosa e madura à minha formação. E esse zelo jamais foi abandonado. Ela é meu eficiente serviço informal de *clipping*. Lê tudo que sai a meu respeito na mídia e depois me liga para tecer seus comentários. Se souber que vou aparecer no programa *Altas Horas*, do Serginho Groissman, por exemplo, permanece acordada até as 3h00 da madrugada para assistir à entrevista. Ensinou-me que o amor verdadeiro não permite abandono, não gera cansaço.

Com minha mãe descobri até mesmo o valor maior de uma comenda. Em 2010, quando recebi o título de comendador da república italiana, obviamente me senti honrado, mas minha mãe é quem foi mesmo ao delírio. O melhor desse episódio foi vê-la feliz. Às vezes, os elogios e prêmios que recebemos se tornam corriqueiros, mas ainda são fantásticos porque comovem as pessoas que gostam de nós, aquelas que fazem a vida valer a pena.

Posso ainda dizer que meus pais tiveram a generosidade de se esforçar para que eu tivesse acesso a um excelente padrão educacional, reservado aos meninos de um estrato socioeconômico mais alto. Essa decisão, por si só, constituiu uma lição de valor inestimável.

Sempre vale a pena investir em educação, seja ela formal ou informal, e tenho procurado seguir essa conduta na criação dos meus filhos. O empenho sempre dá resultado.

No campo da família, tive ainda outro privilégio, que foi contar com o desvelo e atenção da tia Lígia Olivetto Melloni, irmã de meu pai. Ela tinha um padrão econômico mais alto que o do resto da família. Era diretora de um serviço de saúde importante em São Paulo. Embora muito bem casada, não tivera filhos — o que a fazia alucinada pelo sobrinho.

Com ela, comecei a conhecer alguns dos lugares mais badalados da cidade. Frequentávamos restaurantes tradicionais como o Gigetto, na Rua Nestor Pestana, no centro da capital, fundado em 1937. Em minha época de garoto, era alegremente frequentado por intelectuais e gente do cinema, do rádio e da televisão.

Minha tia me ensinou a valorizar o que é benfeito, o que é bonito, o que é requintado, oferecendo subsídios para que eu pudesse definir meus padrões estéticos nas mais variadas áreas. Descobri que as coisas elegantes nem sempre estavam associadas a riqueza e dinheiro. Muitas vezes, dependiam de capricho, de cultura, de sensibilidade, de visões de mundo que saíam do lugar-comum.

Era o caso da Confeitaria Vienense, na rua Barão de Itapetininga, no centrão, que tinha seus salões no primeiro andar de um antigo casarão. Comparecíamos para tomar o famoso chá das cinco da tarde. Logicamente, havia gente bem chique, mas não era isso que me fascinava. Era o atendimento exemplar, os quitutes delicados e saborosos, era a orquestrinha de cordas e o piano discreto e inspirado.

Naquela época, ainda havia paquera naquela região. Na Avenida Ipiranga, na Rua 24 de Maio e em outras vias do pedaço, eu assistia ao passeio de moças bonitas e identificava homens acanhados que sonhavam encontrar ali um amor para a vida inteira. Era uma São Paulo distinta, um pouco ingênua, que rapidamente esvanecia.

A LIÇÃO
DAS RUAS

Tudo que nos acontece tem um endereço. São Paulo é o meu, uma amostra condensada do mundo, em sua geografia física e humana. Andar por esta cidade é sempre um aprendizado, ainda mais quando se presta atenção ao cenário em constante transformação.

Nasci na City Lapa, um bairro jardim, implantado a partir dos anos 20, na Zona Oeste, pela Companhia City. Hoje, é uma área tombada pelos órgãos de preservação do patrimônio histórico. Mas a primeira fase da infância foi mesmo vivida na Zona Leste, injustamente ainda chamada por alguns de Zona *Lost*. Nossa casa ficava no Belém, um bairro que me ofereceu uma lição viva de brasilidade. É um dos berços da industrialização no país, famoso por suas fábricas de tecido.

Se havia centros de produção, é lógico que também havia operários e operárias, muitos deles imigrantes ou descendentes. Nessa época, eu ainda nem desconfiava de que havia mensagens, emissores e receptores. Mas ouvir e interpretar o povo me auxiliou a entender o que era uma comunicação clara, o que tornava uma frase mais ou menos relevante.

Para viver bem ali, era preciso saber trocar ideias, compreender até mesmo o que significava o silêncio numa conversa. A região teve uma importância fundamental em minha formação. Mas por quê? Porque em lugares como o Brás e o Belém, 40 anos atrás, o Brasil ainda estava se acomodando, construindo sua cultura miscigenada, realizando experiências no laboratório social.

No Belém surgiu, por exemplo, a Vila Maria Zélia, o primeiro conjunto residencial operário do país, fundado em 1917 pelo empresário Jorge Luís Street para acolher os 2.100 funcionários da Cia. Nacional de Tecidos de Juta. O lugar compunha um prolongamento da fábrica. Tinha suas próprias simbologias, suas próprias histórias.

Não foi à toa que muitos comerciais, novelas e filmes acabaram sendo rodados no velho conjunto. Um deles é *O corinthiano*, com o inesquecível Mazzaropi, de 1966. Aliás, o Belém não se assentava longe do próprio Corinthians, no Parque São Jorge, numa das beiradas do rio Tietê.

Naqueles primeiros anos de vida, conheci um pedacinho do Brasil em ebulição. No Largo São José do Belém, eu via e ouvia as mulheres devotas. Mais adiante, havia a Praça Silvio Romero, já no Tatuapé, onde se plantava outra igreja. Naquele pedaço, contudo, a vocação era menos religiosa. O lugar já ia se convertendo em área de paquera para a juventude mais transada da Zona Leste.

Mais tarde, minha família se mudou para o bairro da Aclimação, na face sudeste da cidade. Era um lugar bonito e tranquilo, com morros e baixadas. Começou com o projeto do médico Carlos Botelho de criar em São Paulo uma versão nacional do famoso *Jardin d'Acclimatation*, de Paris, que tinha um zoológico e era usado para que espécies de outras partes do mundo se aclimatassem à capital francesa.

Carlos Botelho, de fato, ergueu no local um centro de pesquisa e lazer que se converteu em atração turística da cidade, com um belo lago ao centro. O complexo desapareceu décadas depois. Restou um pedaço da área verde, transformada em parque público. Ao redor, surgiu um bairro residencial de classe média, com casas térreas e sobradinhos.

Quando nos mudamos para lá, havia muitos descendentes de italianos, de portugueses e também de japoneses, alguns vindos da Liberdade, o bairro vizinho. Ali, o mais interessante foi ver de perto o processo de urbanização e verticalização da cidade. As casas com jardinzinhos de roseiras na frente foram sendo derrubadas para dar espaço aos espigões.

Essas imagens mentais ilustram um pouco a história da mudança de São Paulo nas últimas décadas do século 20. De repente, a casa da falante Dona Gertrudes não estava mais lá. Nem ela. Pra onde teria ido? No lugar, erguia-se um prédio com

20 andares. E, estranhamente, parecia que ninguém mais morava no lugar.

As famílias foram se distanciando da rua e dos vizinhos, numa São Paulo menos segura, mais rica e menos coletiva. Sumiram as rodas de cadeiras na calçada em noites de calor. Surgiram grades altas, guaritas e também desconhecimento mútuo.

Apesar de tudo isso, ainda se encontra boa conversa nas padarias do bairro, que segue como lugar tranquilo e charmoso. Considero que foi um excelente laboratório para aprender a dinâmica de metamorfose das grandes cidades.

As coisas que aprendi com São Paulo me foram úteis e me fizeram o que chamo de "detector" de cidades. Há muitos anos, por exemplo, detectei que o SoHo seria o grande barato de Nova York. Sem arrogância, posso dizer que me adiantei a muitos nova-iorquinos nessa percepção da mudança.

O caso do SoHo é interessante porque mostra como um mesmo espaço pode servir a vários propósitos no decorrer do tempo. Lá pelo século 19, essa região tinha uma vocação eminentemente industrial. Depois, passou por uma longa fase de degradação e abandono, experiência vivida por outros distritos fabris na Europa e na América do Sul.

No final dos anos 1960, alguns artistas alternativos e ativistas da cidade começaram a se organizar numa espécie de movimento pró-moradia. Pretendiam se instalar numa área onde pudessem viver e trabalhar simultaneamente. No início dos anos 1970, as primeiras comunidades ocuparam alguns grandes prédios e galpões do SoHo, denominação que faz referência à área "South of Houston", ou ao sul do rio Hudson.

Esse foi um perfeito exemplo de regeneração urbana, com redefinição do papel socioeconômico de um bairro. Antigas instalações de produção viraram os famosos "lofts", frequentemente retratados em filmes sobre artistas descolados. Nos anos 1970, muitas dessas ocupações eram ilegais, ferindo os princípios de zoneamento. Mas foram beneficiadas pela complacência das autoridades municipais, interessadas em revalorizar a região.

Há 15 anos, eu também já sabia que o SoHo ia deixar de ser o grande barato. No final da década de 1980, os não artistas começaram a invadir de vez o distrito. Iniciou-se um lento período de descaracterização. Na década de 1990, alguns prédios passaram a ser meramente locais de moradia. Muitas galerias deixaram o bairro, assim como alguns dos seus personagens típicos, gente ligada em produção de arte e cultura.

Em 2005, foi permitida a construção de prédios residenciais em áreas vazias. Nessa época, o reduto das velhas fábricas e dos artistas pobres já tinha se tornado um destino turístico, onde os visitantes podiam comprar roupas, adereços e objetos caros. Continua um lugar interessante. Mas deixou de ser o grande barato.

Essa percepção do que ocorre na dinâmica das cidades não me fez ganhar milhões de dólares com investimentos imobiliários, mas rendeu amplos benefícios ao meu trabalho.

A observação atenta dos movimentos urbanos ajuda a detectar desejos, demandas, receios e tendências. Logicamente, essa interpretação passa por um olhar calibrado sobre a relação entre o espaço e as manifestações nos campos da moda, da música, das artes plásticas, do esporte e da política.

E esse não pode ser jamais um olhar estático. As coisas vão mudando o tempo todo e precisam ser acompanhadas. De um misto de razão e intuição, surge o *insight* futuro. Uma campanha de sucesso, capaz de transmitir a mensagem desejada, depende desse conhecimento do que ainda é e daquilo que virá a ser. O melhor símbolo dessa mudança permanente é a vida nas grandes cidades.

Em anos recentes, um lugar na Espanha me ensinou algo de novo. Falo de San Sebastián (em basco Donostia), capital da província de Guipúscoa, no País Basco. O lugar é belíssimo, na baía de Biscaia. Ali, a grande sacada é perceber que a tradição não matou o espírito inovador.

São mil anos de história, de coisas que são construídas e mantidas. Ou redefinidas. Ou simplesmente destruídas para dar lugar ao novo. É uma cidade que vai se depurando, que se mantém saudavelmente inquieta. Por isso, sempre atraiu gente interessante. Na época da Primeira Guerra Mundial, por exemplo, acolheu figuras como o político Leon Trotsky, a espiã Mata Hari e o compositor Maurice Ravel.

Na década de 1930, os nacionalistas bascos, especialmente anarquistas e comunistas, lideraram ali a resistência ao fascismo.

Foi uma época de poemas engajados e canções rebeldes. Na década de 1950, teve início o famoso festival internacional de cinema de San Sebastián. Em 1999, inaugurou-se o palácio Kursaal, que é bonito, espaçoso e inovador.

O legal de San Sebastián é que tudo está em movimento. Há sempre alguém propondo algo novo. Tem eventos tradicionais bascos e também festivais de jazz. Candidata a capital europeia da cultura, a cidade escolheu um tema que realmente representa sua personalidade: "ondas da energia de pessoas". A ideia é mostrar que o movimento dos cidadãos é a verdadeira força por trás das transformações positivas no mundo.

San Sebastián tem gente de todo lugar, o que é bom demais. Gera intercâmbios, trocas de saberes. A comida é excelente. E as garçonetes são "modernérrimas". Esse é um lugar que me ensinou e me ensina. O mundo atual, em busca de solidariedade, renovação e equilíbrio, deveria olhar com mais atenção para essa cidade.

Na França, pude aprender também na Côte d'Azur, a parte sul do país, debruçada sobre o Mediterrâneo. É um lugar tradicionalmente generoso com a cultura e com a livre troca de ideias. Já era, por exemplo, um centro da moda no fim do século 19.

Logicamente, foi em Cannes que aprendi demais sobre a minha profissão, e também sobre arte e comunicação. O Festival de Publicidade, criado em 1953, tornou-se o mais importante evento do segmento no mundo. Quem é da área sabe a emoção de receber um "leão" na disputa com os maiorais da área. Importante ali também é acompanhar a revolução permanente dos símbolos e dos modelos de comunicação.

De certa forma, toda a Riviera Francesa tem um quê de mosaico étnico, principalmente Marselha, com seus argelinos, marfinenses, marroquinos e europeus alvos, todos misturados. Faixas antirracismo e antifascismo costumam aparecer na animada torcida do Olympique de Marselha.

Em 1998, a França conquistou a Copa do Mundo de Futebol, e creditou-se ao entendimento da miscigenação o bom desempenho do time de Zidane. E parece que foi justamente um desentendimento da miscigenação que levou os *bleus* ao retumbante fracasso na Copa da África do Sul. Talvez porque a seleção tenha sido espiritualmente menos marselhesa do que o necessário. A rigor, o complexo jogo da interação das raças ainda não foi tão bem resolvido na França. Nesse particular, aqui nos "tristes trópicos" estamos na frente.

No Brasil, temos miscigenação genética e também cultural. Essa mescla está distribuída por boa parte da nossa geografia. Tem alemão gaúcho praticando o futebol alegre e malemolente dos negros. Tem japonesinha com samba no pé na passarela do Anhembi. Tem neto de angolano exibindo alto conhecimento de Direito no Supremo Tribunal Federal, em Brasília.

Sim, é evidente que ainda tem gente que cultiva preconceito, tanto racial quanto social. Mas o Brasil parece lidar melhor com essas questões delicadas. Temos esse gosto por misturar e ver no que dá. Não se pode negar esse mérito à sociedade brasileira.

Eu conheço o mundo direitinho. E alguns lugares eu conheço muito direitinho. E há algo que percebi como diferencial do Brasil. É o único país em que o imigrante ou visitante vira brasileiro sem precisar renegar sua nacionalidade. Aqui, cultivar a italianidade na festa da Achiropita não irrita ninguém. E o descendente de imigrantes nipônicos pode manter, sem problemas, a prática do kendô e o uso do quimono. No Brasil, o cidadão pode ser multicultural sem receio ou arrependimento.

Sou paulista e muito paulista. Mas creio que o Rio de Janeiro seja o maior símbolo dessa síntese generosa. Os cariocas não precisam ter nascido lá. Há cariocas de todos os lugares, perfeitamente agregados à comunidade.

Quando recebi o título de cidadão carioca, em agosto de 2010, quis levar ao evento seis "padrinhos". Para compor a mesa, convidei seis cariocas famosos: André Midani, carioca da Síria e da França; Boni, carioca de Osasco, na Grande Sampa; Ricardo Amaral, carioca de São Paulo; Zuenir Ventura, carioca da Minas Gerais; Milton Gonzalez, sanduicheiro do Posto 9, carioca do Uruguai; e Walter de Mattos Jr., carioca da gema. Foi a maneira de expor um pensamento: o Brasil é o único lugar em que o estrangeiro se sente um local. E o Rio é o lugar em que esse fenômeno ocorre de maneira mais clara.

Naquela noite incrível, Ivo Meirelles, presidente da Estação Primeira de Mangueira, levou um casal de mestre-sala e porta-bandeira para me homenagear. E recebi ainda o carinho do meu amigo Lulu Santos, que me considera uma extensão de sua família. Bom à beça.

Na ocasião, Ricardo Amaral se lembrou de um caso nosso que ele julga exemplar do jeito de ser dos cariocas. Relatou com bom humor:

"Uma vez saímos para jantar e, sem querer, trocamos os cartões de crédito. No dia seguinte, viajamos para países diferentes e foi aí que notamos a troca. Liguei para ele e combinamos de usar os cartões, mas sem acertarmos nada depois. Isso é um ato de carioquismo pleno."

Digo sem reservas que é muito bom viver no Brasil. Eu bem poderia ter ido para outro país. Considero que poderia ser bom profissional de publicidade em qualquer lugar do mundo. Ainda bem jovem, recebi convites de trabalho de agências dos Estados Unidos e da Inglaterra. Recusei-os educadamente. Não foi por medo, não. Foi por opção. Foram decisões conscientes. Pensei: "lá eu vou ser bom, mas aqui eu posso ser melhor".

Tenho uma paixão pela língua portuguesa, convertida em língua brasileira. E aprendi desde cedo que dependo muito da minha língua. É por meio dela que posso expor minhas melhores ideias. Ela é o fio que me liga à cabeça e à alma das pessoas, sempre da maneira mais honesta possível.

O maior elogio que recebi na vida, e olha que a vida tem sido generosa comigo nesse departamento, foi uma frase pronunciada em Nova York: "O Washington tem um dedo no pulso do Brasil". É uma avaliação que me orgulha tremendamente.

Adoro viajar para lugares distantes. E um dos maiores benefícios de ser um viajante é poder voltar para cá. Agrada-me também divulgar as coisas do Brasil lá fora. Olhando para trás, fico satisfeito ao ver que dei uma visibilidade maior para a publicidade brasileira no exterior. Tem algo de pioneirismo aí. E só pude cumprir esse papel porque decidi ficar no país.

Há algo de extraordinário no Brasil no que se refere a ensinamentos. Tivemos desde sempre essa necessidade de aprender as coisas, as nossas e as dos outros. Precisamos, por exemplo, nos habilitar para compreender outras línguas. E a gente se esforçou para aprender Geografia, e determinar nosso lugar e o dos outros. Lá nos países considerados desenvolvidos, muitas vezes eles conhecem apenas a geografia da nação em que vivem. E olhe lá.

Conosco, a coisa sempre foi diferente. A gente se acostumou a consumir produtos culturais diversos. Foi uma dificuldade que virou vantagem. O resultado foi a multiplicidade de saberes, percepções e visões de mundo. Repito que aqui a miscigenação é étnica, mas também cultural. Em minhas palestras, costumo dizer que moro no último país do mundo em que há uma seleção de mulheres bonitas, cada qual com seu fenótipo peculiar, em cada ponto de ônibus.

A miscigenação que marca este lugar democratizou a beleza, em suas variadas manifestações. Em Paris, me dizem para ver as pessoas bonitas na Place des Voges. Em Londres, apontam Knightsbridge. Em Los Angeles, é na Rodeo Drive. Aqui, a beleza frequenta as escadas do metrô de Itaquera, as feiras da Tijuca, as festas juninas de Campina Grande.

Coisas
do esporte

Não dá para negar: aprendi muito com o esporte, com o jogo, com a disputa. Por influência do meu avô Paulo, comecei a prestar atenção no time de basquete do XV de Piracicaba. Entre 1957 e 1960, destacava-se ali o grande Wlamir Marques, atleta que comandou excelentes formações do selecionado brasileiro, atuando ao lado de outros craques como Amaury, Rosa Branca e Ubiratan.

Com Wlamir, o Brasil foi campeão mundial em 1959 e 1963. Depois, entre 1964 e 1971, ele passaria sete anos no meu alvinegro. Em 1964, assisti ao maior jogo de basquete já disputado no país. Foi realizado no Ginásio do Corinthians. Batemos o poderoso Real Madrid, então campeão europeu, por 118 a 109, numa época em que não havia cesta de três pontos. Havia gente demais, com torcedores comprimidos até a grade que protegia a quadra. Todo mundo roendo as unhas e comemorando cada ponto.

O Wlamir, que tinha sido cestinha do Mundial do Chile, em 1959, fez 40 pontos no jogo, 32 deles no primeiro tempo. Do outro lado, havia o extraordinário Emiliano Rodriguez, um atleta excepcional, um dos melhores do mundo na época, que deu muito trabalho aos brasileiros. Nessa época, o Corinthians estava curtindo um jejum no futebol, mas compensava no basquete.

Esse esporte me fascinava. Era bonito, plástico. Eu quis jogar também. De 13 para 14 anos, eu tinha 1,72 metro e era considerado alto para idade. Atuava como armador, ou ala armador. Fiz parte do time do Tênis Clube, na Rua Nilo, na Aclimação. Depois, joguei no próprio Corinthians. Também tive uma passagem pela seleção paulista infanto-juvenil de basquete, que agregava o pessoal de até 15 anos. Estava tudo uma beleza, até que numa partida no Colégio São Luís eu estourei o menisco.

A disputa em quadra, de maneira geral, já me ensinara muita coisa sobre limites, sobre força de vontade e sobre respeito aos adversários.

Resolvi então entrar na faca, para poder voltar a jogar. Mas naquela época era uma cirurgia primária. Eles simplesmente tiravam o menisco. Submeti-me ao procedimento e o resultado é este: até hoje meu joelho balança. Ele é uma espécie de meteorologista silencioso. Quando vai mudar o tempo, ele emite o sinal.

Por causa da operação, parei por um puta tempo. Aí, fui me desestimulando e criando cada vez mais prazer com o negócio de escrever. Essa contusão, na verdade, me salvou. Não fosse esse imprevisto, eu teria continuado a investir no basquete. Isso com os mesmos 1,72 metro que tenho até hoje. Não ia dar certo.

Dessa aventura, ficou a convicção de que toda criança deveria viver uma experiência no esporte. Ele ajuda a formar o bom caráter e desperta para a necessidade de estratégia, dedicação e jogo de cintura na superação de qualquer grande desafio.

Isso vale também para os torcedores, aqueles fanáticos que "jogam" do lado de fora. Muita gente acha que venho de uma família de corinthianos. Engano. Minha mãe e os pais dela eram todos palmeirenses. Meu avô paterno era torcedor do XV de Piracicaba. Minha avó simpatizava com a Portuguesa. Meu pai nem ligava para futebol. Ele se amarrava em natação, em esporte amador. Ganhou a competição São Paulo a Nado duas vezes, competindo pelo Clube de Regatas Tietê. Criado em 1924, esse evento esportivo foi, durante 20 anos, um dos mais importantes da cidade, mais ou menos como a Corrida de São Silvestre é hoje.

Na minha família, o corinthiano mesmo era o tio Armando, marido da tia Lígia. Esse era ligado nas coisas do alvinegro. Colava o ouvido ao radinho para acompanhar as partidas. Por causa dele, fui desenvolvendo esse amor pelo clube.

Entre 1981 e 1984, vigorou a chamada "democracia corinthiana" – termo cunhado por mim, inspirado pelo jornalista Juca Kfouri – um regime autogestionário único na história do futebol profissional. Nesse período esplendoroso, tudo era discutido e votado pelo coletivo, de contratações a regras para a concentração. Até os roupeiros tinha voz e voto.

Os craques Sócrates, Wladimir e Casagrande, lideraram um movimento de politização que extrapolou o Parque São Jorge, influenciando atletas em todo o Brasil. Mais do que isso, estivemos todos presentes nas campanhas para a redemocratização do país.

O presidente do clube, Waldemar Pires, sabia ouvir e acatar as opiniões do grupo. Na direção do departamento de futebol, tínhamos o sociólogo Adílson Monteiro Alves, um cara sintonizado com as demandas populares. Eu lidava diretamente com o marketing, procurando formas de potencializar a mensagem revolucionária do grupo.

A própria expressão "democracia corinthiana" ganhou um logotipo que lembrava aquele da Coca-Cola. Ficou celebrizada numa foto em que está estampada numa camisa usada por Casagrande, o mais rebelde mosqueteiro daquela época. Utilizamos vários outros temas de campanha, sempre politizantes, como "Democracia já", "Quero votar para presidente", "Dia 15, vote" e "Ganhar ou perder, mas sempre com democracia", frase exposta numa faixa que os jogadores exibiram orgulhosamente no campo de jogo.

No auge do movimento, o brigadeiro Jerônimo Bastos, então presidente do Conselho Nacional de Desportos (CND), incomodou-se com as minhas invenções. Convocou o presidente do clube e ameaçou:

— Vocês não podem mais usar esse espaço para fins políticos. Caso continuem, vamos engrossar o caldo. Vamos intervir no clube.

Achei bom que os militares se sentissem incomodados. Ajudamos a impulsionar o movimento das "Diretas-já" e tivemos nossa cota de participação no processo que pôs fim à ditadura militar. Para isso tudo, contribuiu o belo futebol apresentado dentro de campo, com a conquista dos Paulistas de 1982 e 1983, além de uma boa performance no Brasileiro de 1984.

A experiência corinthiana me ensinou que o futebol tem força. Por meio dele, a gente pode passar exemplos e mensagens que vão melhorar a sociedade. Também percebi que a democracia é possível em grupos de trabalho, sempre que houver interesse comum, tolerância e respeito.

Na minha sala na agência, tenho um quadro do Nelson Leirner com a bandeira do Timão. Essa obra me mantém conectado com o povo brasileiro em suas diversas dimensões. Nossa torcida é formada por italianos, espanhóis, portugueses, sírios, libaneses, japoneses, judeus e gregos. É dos índios e afrodescendentes. É de comunistas e capitalistas. É de católicos, protestantes, evangélicos e umbandistas. É dos pobres e dos ricos também.

Quem souber se comunicar com a massa corinthiana vai saber se comunicar com o Brasil. Tenho orgulho do clube dos operários do Bom Retiro. Em 2010, ano do Centenário, minha vida como corinthiano foi mais documentada do que minha vida como publicitário. O Washington do Corinthians deu mais entrevistas do que o Washington da WMcCann. Normal. A WMcCann é uma grande agência, mas o Corinthians é uma nação.

Para além do Coringão, o esporte me ensinou muito. No campo das personalidades, a maior admiração é por Muhammed Ali, visto tanto em sua faceta "física" quanto "jurídica". Como atleta, como cidadão, como homem de marketing, como gerador de ideias, foi fenomenal. Tive a sorte de viver uma época de ídolos de verdade. Vi Pelé e Mané Garrincha, os maiores do mundo na modalidade. Acompanhei a carreira de Maradona. Vi Wlamir Marques e Michael Jordan, além da rainha Hortência. Vibrei com as façanhas de Fittipaldi, Piquet e Senna.

Esses todos foram espetaculares professores. Com seus talentos e estratégias, nos deram aulas de como jogar o grande jogo da vida.

Pra que
Inspiração?

Muita gente compara o trabalho do publicitário ao labor do poeta. Consideram que vivemos, sobretudo, de inspiração. Pelo menos no que me toca, considero que não é bem assim que funciona. Meu processo criativo está atrelado a tudo que fiz e vivenciei antes. Depende dos saberes que fui armazenando em cada experiência.

Portanto, não preciso de um espaço físico específico, de uma trilha sonora ou de um estímulo no campo da aromaterapia. Não preciso de ambientação. Para ser sincero, não trabalho com esse componente denominado inspiração. Como criador de conteúdo publicitário, sou adestradamente profissional. Procuro ter sempre uma resposta possível a cada demanda do anunciante.

Acho que isso não ocorre somente comigo. Essa é uma característica dos bons profissionais de publicidade no mundo todo. A gente vai se treinando para ter essa capacidade de gerar projetos de campanha para cada situação específica.

Obviamente, há dias em que me sinto mais atilado, com mais energia, e posso fazer melhor e mais rápido. Em determinados dias, como acontece com todo mundo, há alguma coisa incomodando. Mas mesmo assim, por conta do profissionalismo, o trabalho vai ser bem executado.

Confesso que a vaidade profissional me impede de ceder à tristeza, à depressão e à preguiça. Tenho duas características que não considero méritos, mas que fazem parte do meu jeito de ser e agir.

1. Dificilmente falo dos meus problemas, com quem quer que seja. Não tenho humildade para pedir ajuda, conselho e consolo. Além disso, no momento em que revelo um problema, parece que ele adquire materialidade, passa a existir de verdade.

2. Para evitar essas situações de desgaste e fragilidade, procuro nunca me render ao baixo-astral.

É curioso, mas essa atitude funciona como um mecanismo de autoproteção. Nunca fiz psicanálise porque sou pretensioso pra cacete. Estou me autoanalisando o tempo inteiro. Não acho mérito. Tem gente excepcionalmente preparada para fazer isso. Mas tenho essa mania da autoanálise.

Para o trabalho render, aprendi também que é sempre válido estimular o prazer da coautoria. É bem melhor ser coautor de coisas brilhantes do que autor solitário de coisas medíocres. Isso extrapola o caso da publicidade. Pais e filhos, por exemplo, podem fazer coisas legais juntos. Se construírem essa cultura, isso vai se refletir positivamente, depois, na atividade profissional.

Numa empresa, e principalmente numa dedicada à produção publicitária, o trabalho com os talentos deve ser preponderantemente cooperativo. O problema é que muitas companhias ainda estimulam, erroneamente, mecanismos competitivos que geram exclusão e frustração. Existe sempre o tapete puxado internamente, o que é inevitável. E isso é uma pena porque dispersa a energia.

Portanto, dissemino sempre duas ideias. Primeira: a coautoria faz bem. Segunda: o ideal é sempre buscar um índice mais alto de felicidade *per capita*.

No campo profissional, me orgulho de ser reconhecido como um cara com quem é bom trabalhar. Em 2004, numa votação promovida pelo Portal da Propaganda, fui eleito o melhor chefe para se trabalhar, concorrendo com outros 33 diretores de criação, todos feras.

Isso mostra que fui aprendendo a liderar equipes e a conviver produtivamente com gente legal. É uma pena quando competições internas são mal resolvidas.

Nessas dinâmicas de trabalho, o mais importante é a troca intelectual autêntica. Se o que predomina é a inveja e o ciúme do talento alheio, não se faz esse intercâmbio. É preciso ver o que é positivo até na divergência. Ela enriquece porque coloca em xeque nossas convicções e apresenta uma outra visão de mundo.

Costumo incentivar práticas de aprendizado permanente. E também dissemino meus privilégios de informação. Tenho acesso ao novo, por conta de amigos nos mais diversos campos, da imprensa à música, da literatura às artes plásticas. Por vezes, um desses caras acaba de compor uma canção e me manda em primeira mão. Se ele não se importar, solto na hora para a galera da agência ouvir, curtir e avaliar.

Isso é aprendizado permanente, no tempo real. A vida me ensinou que a aprendizagem não para, e que a informação trafega o tempo todo, em todas as direções. Gosto, então, de integrar o pessoal nessa aventura do conhecimento. Admito que me sinto generoso, me sinto bem nessa divisão que soma. É excelente para elevar a autoestima.

A criação da WMcCann, em 2010, mostra um pouco desse aprendizado em compartilhamento. Não houve um período de atrito e não precisamos recorrer a empresas especializadas para realizar o casamento das duas agências.

No primeiro dia de trabalho, apostei numa celebração simbólica. Era 1º de maio e promovi uma feijoada simultânea em São Paulo e no Rio de Janeiro para enturmar o pessoal. Participei das duas. Fiz uma saudação e disse que gostaria de nomear cada pessoa como vice-presidente de integração. "Eu sei que vocês vão conseguir fazer isso sozinhos", sentenciei, passando a bola para eles.

O resultado desse compartilhamento da responsabilidade foi excelente. Nos meses seguintes, todo dia vinha alguém à minha mesa demonstrar surpresa com a velocidade do processo de integração. Muitos diziam que o clima era legal e que a agência estava bem-humorada. Quando ouço coisas assim, meu dia já está ganho.

Em 2006, recebi da revista *Seleções Reader's Digest* o prêmio de "Publicitário Mais Confiável", a partir do resultado da pesquisa Marcas de Confiança, realizada pelo Ibope. Essa honra me seria concedida novamente em 2007, 2008 e 2009, quando virei *hours concours*. Essa escolha certamente está escorada num modo particular de gerir a agência, lidando com o público interno e também com o externo.

Se há sucesso nessa caminhada, é porque tenho me proposto a avaliar oportunidades, sem preconceito. Tenho um dom natural para detectar o rumo dos ventos. Fui me aperfeiçoando em prever tendências para a publicidade, para a música, para as artes plásticas, para a vida urbana.

Muito dessa interpretação não obedece a modelos racionais. No trabalho, recebo números, informações e dados que apontam um caminho. Muitas vezes, no entanto, opto pela intuição e sigo na direção contrária. E normalmente acerto. A intuição é diferente da adivinhação. Tem a ver com memórias, com percepções sutis, com uma visão de todo que vai além do convencional.

Também digo que nem sempre é apropriado confiar cegamente na memória. Quando erramos, tendemos a deletar o episódio rapidamente. A memória seletiva pode nos dar a impressão de que tudo feito no passado era perfeito, de que naquela época remota só havia felicidade e satisfação. E não é verdade. A gente deleta o ruim por proteção. Bota o que não agrada numa caixinha, fecha, passa o cadeado e um abraço.

Por vezes, me perguntam que dicas eu daria para um jovem empreendedor da área. Eu lhe diria para compreender o sentido do trabalho em equipe. E lembraria que a visão de futuro é fundamental e mandatória. Ele precisa exercitar-se para construir um esboço do que vai acontecer no mundo dos negócios e da cultura. Precisa também sacar o que está mudando no universo do comportamento, levando em consideração as peculiaridades de cada lugar, de cada estrato econômico, de cada agrupamento humano. De repente, dá para resumir em dois mandamentos:

1. Não tenha preconceito com a informação, seja ela qual for, em todas as áreas do conhecimento humano.

2. Para ter excelência no produto final, converta-se num bom adequador de linguagens; portanto, conheça todas as linguagens.

Falando para as pessoas em geral que pretendem montar um negócio, elenco mais duas dicas:

1. Empreenda na área de que você gosta. Não empreenda no que está na moda ou naquilo que dizem dar mais dinheiro. Empreenda na área com a qual você tem afinidades, porque a chance de dar certo aumenta.

2. Tente ser você mesmo. Não tente ser outro. Se você, como você mesmo, não for brilhante, saiba que ainda assim será melhor do que se representar uma outra pessoa. Nada de falso perfil.

Há outro ponto que merece menção nesse debate sobre o empreendedorismo em geral e a empresa de publicidade em particular. Nenhum tipo de negócio precisa romper com valores e princípios para ser lucrativo. Dignidade não se vende nem se troca.

Quando entrei para o ramo, eram outros tempos, no qual havia uma divisão silenciosa, porém sólida, entre esquerda e direita, sistema e contracultura, dinheiro e arte, capitalismo e socialismo. Na visão de mundo daquela época, acreditava-se que nada disso podia coexistir. Ou era uma coisa ou outra. Pois eu sempre remei na contramão. Eu já sabia que não era possível realizar a revolução política sem a revolução estética. Por isso, nunca tive consciência pesada. Nunca pensei que lidar com propaganda comercial fosse uma adesão cega ao sistema, aos vícios do capitalismo. Nunca tive esse problema.

Na verdade, sempre pensei que poderia passar uma boa mensagem, especialmente se estivesse infiltrado no sistema. Percebi também que não adiantava produzir os melhores anúncios do mundo se eles não fossem aprovados e veiculados. E para isso eu precisava me aproximar dos clientes.

Com o tempo, aprendi a fazer boas apresentações para os públicos de interesse. Aumentava a chance de que os projetos fossem aprovados. Se o meu trabalho fosse muito bom, seria repetido nas ruas. E, se fosse agregado à cultura popular, todo mundo iria querer saber quem tinha feito. Eu ficaria mais conhecido e ganharia autoridade para propor novas ideias. Era um círculo de virtudes.

Dentro desse esquema, comecei a pilotar a ideia de que seria bom divulgar quem fez, desde que essa informação fosse solicitada. Mas eu também sabia que a minha notícia não poderia ser maior que o meu trabalho. Eu não poderia entrar na moda, pois a moda muda. Se eu virasse moda, sairia dela. A busca era por credibilidade, confiança e longevidade. Eu não buscava simplesmente o sucesso.

Quem lê essas linhas pensa que eu tinha tudo devidamente planejado. Bom, não foi bem assim. Isso girava na minha cabeça, na órbita da intuição. Depois é que eu fui organizando esse pensamento.

Fazer sucesso por dois, três ou cinco anos não é tão difícil. O complicado é manter-se no topo por décadas. No início, a DPZ auxiliava muito nesse processo de consolidação. Propiciava-me boas condições de trabalho. Era uma agência muito digna, correta, respeitável e ética. Fui considerado um menino prodígio, mas procurei manter os pés no chão. Recusei várias propostas de concorrentes.

Aprendi que, enquanto empregado, eu deveria me comportar como dono. Tinha que prestar atenção a todos os processos, entender bem a necessidade dos clientes, gerar qualidade, sair do quadrado, fazer diferente e inovar.

Lá pelo oitavo ano de DPZ, todos os meus colegas de mercado e clientes já diziam que eu deveria criar a minha própria empresa. Eu não concordava. Não me considerava pronto. Achava que precisava aprender mais, que tinha de construir uma base de conhecimento mais sólida.

Depois de 14 anos na DPZ, enfim percebi que já tinha feito tudo o que podia na agência. Descobri que não existia um único modo de conduzir uma empresa, ter ideias, trabalhar em equipe, motivar pessoas, criar, fazer. Eu imaginava um outro modelo para os negócios e ele não podia ser implementado ali, onde tudo já estava definido e cristalizado.

Foi quando eu resolvi fazer a W. A nova agência realmente se beneficiou de um lado meu empreendedor, corajoso, legal. A primeira W, que surgiu em sociedade com o grupo suíço GGK, foi muito feliz, mas admito que a parceria foi firmada porque eu queria ter um pouquinho mais de segurança. Ou seja: por medo.

Largar um salário bom não é fácil. De repente, é você quem tem de garantir o salário dos outros. O empreendedor precisa batalhar todos os dias, como homem de frente. Essa mudança eu comparo a uma aventura de alpinista. Você quer passar de uma montanha para outra. A distância é de 40 centímetros apenas. O problema é que você está a mil metros do chão. Você estica a perna e até acha fácil. Mas quando olha o penhasco dá aquele tremendo frio na barriga.

Quando montei a minha agência, inverti minha posição. Passei a me comportar como se eu fosse um empregado. Procurava analisar as lideranças, os métodos, as condições de trabalho, a questionar a velocidade e a qualidade. Foi assim que me habilitei a motivar as equipes. Para dar certo na área, é preciso exercitar essa visão dialética, exercendo as responsabilidades de maneira integral, sempre com senso crítico.

Esse primeiro projeto e o modo de gerir se mostrou muito eficiente. Em dois anos, comprei a parte dos sócios e constituí a W/Brasil. E foi mais um projeto feliz, reconhecido pelo mercado e pela sociedade. Aos poucos, desenvolvi ainda mais meu lado empreendedor.

Recentemente surgiu a WMcCann. Por quê? Porque percebi o óbvio: que não sou eterno, e gostaria de deixar a marca W imortalizada. Além disso, queria ter acesso a algumas contas internacionais, e esse seria um bom atalho para chegar lá.

Logicamente, também analisei as virtudes éticas do parceiro e sua inserção na cultura popular. Eu já gostava do Tigre da Esso desde menino, uma criação genial da McCann, rival do elefantinho da Shell. Havia também o fato de que eles precisavam se abrasileirar. Aí, então, não precisava ser gênio para perceber que havia uma série de convergências interessantes. Os bons lances do empreendedorismo estão sempre atrelados ao bom-senso e à busca de complementaridades.

A PUBLICIDADE E
SEUS DESAFIOS

A vida me ensinou que a publicidade não é um corpo estranho no mundo. Ninguém pode ser um publicitário pensando somente em publicidade. O bom profissional precisa ser uma antena giratória, captando sinais de todas as áreas, o tempo todo. A formação educacional só começa na universidade. Ali, são oferecidas apenas dicas de como o profissional pode organizar o conhecimento e continuar aprendendo. Quem não saca isso está lascado.

O pior da publicidade é quando ela desrespeita a inteligência das pessoas, não importa o nível de desenvolvimento intelectual, econômico e financeiro. O sujeito pode ser rico ou pobre, pode não saber o bê-á-bá ou ter quilos de diplomas pendurados na parede, pode ser homem ou mulher. Não importa. Todas as pessoas são sensíveis. Portanto, essa inteligência, inclusive ou sobretudo emocional, precisa ser respeitada. E, infelizmente, sempre testemunhamos muitos atentados nesse campo.

A verdade é que a massa de publicidade produzida no mundo é de baixa qualidade. Sempre foi assim. Alguns países têm uma média um pouco melhor. É o caso da Inglaterra, por exemplo. Os Estados Unidos têm muita coisa boa, mas o volume é tão grande que a quantidade de porcaria também é imensa. E o Brasil já foi melhor.

A boa publicidade respeita as pessoas. Não zomba delas. A melhor publicidade é aquela que cumpre sua tarefa de vender produtos e construir marcas, mas isso não para por aí. Ela refina tão bem seu conteúdo criativo que é capaz de contribuir com a cultura popular. Ela gera sentidos e significados compreendidos por um grande número de pessoas. Esse é o meu tesão. Se eu tenho uma ideologia na profissão, ela está sustentada por esse paradigma.

Há quem note muita semelhança entre o trabalho do poeta e aquele do publicitário, como eu já disse. De alguma forma, existe sentido nisso. Ambos buscam capturar o DNA de uma ideia ou situação. Buscam a síntese. Mas, no caso do poeta, o primeiro interesse é gerar deleite estético, impressionar pela engenharia misteriosa de palavras e versos.

No nosso caso, o que conta é o entendimento. A gente não pode ser vanguarda. Temos só a obrigação de grudar no para-choque traseiro dos veículos pessoais ou institucionais da vanguarda. Não podemos ser vanguarda absoluta porque o primeiro compromisso é com o entendimento.

Nossa síntese existe, mas é diferente daquela da poesia. A gente se utiliza de metáforas muito mais óbvias, mais temporais, mais facilmente inteligíveis.

No entanto, os publicitários se utilizam de raciocínios instantaneamente muito mais surpreendentes. Procuramos isso o tempo todo. Um anúncio que eu adoro, por exemplo, foi criado por um amigo, o americano Ed McCabe, para a Volvo, uma empresa reconhecida por sua preocupação com o fator segurança. Ela foi pioneira, por exemplo, na instalação do limpador automático no vidro traseiro dos veículos. E, aí, esse profissional escreveu uma frase-conceito que virou um clássico da publicidade: "A Volvo descobriu: no vidro de trás também chove". Óbvio, irrefutável, simples, convincente, revelador, magnífico.

Nos Estados Unidos, na década de 1980, a fabricante de calçados Kenneth Cole se beneficiou de outro anúncio impactante, ainda impresso nas paredes da loja. A referência era a gigantesca e caríssima coleção de sapatos da filipina Imelda Marcos, mulher do então presidente Ferdinand Marcos. A frase era a seguinte: "Imelda Marcos teve mais de 3 mil sapatos. Podia ter tido a delicadeza de comprar um da gente". Esses são raciocínios gostosos, inteligentes, muitas vezes irmãos do próprio jornalismo.

Existe também quem nos compare aos inventores de anedotas. Nesse caso, também existe alguma similaridade. A boa piada tem uma excelente arquitetura de ideias. É uma pequena história com um final surpreendente. Muitos bons anúncios guardam essas mesmas características.

A diferença é que a maior parte das anedotas de salão a gente esquece no dia seguinte. A mensagem do bom comercial, ao contrário, permanece. É lembrada anos e anos depois da veiculação. Mas por quê?

O texto do bom anúncio tem uma pertinência que a maior parte das anedotas não tem. A boa campanha não é somente engraçada. Ela é original e também pertinente. Quando guarda essas características de qualidade, torna-se relevante, importante e desejável, transferindo esses atributos ao produto ou serviço a que está associada.

No caso de boas piadas e bons temas publicitários há outra característica comum. Podem ser repetidos sem aborrecer. Têm como vocação a frequência. No caso da piada clássica, o receptor já sabe o final, mas ouve e ri novamente. O que vale, nesse caso, é a consistência da estrutura de significados.

Há uma famosa piada que se vale da metalinguagem, ou seja, é uma piada sobre uma piada. Num presídio, há uma série de detentos sem contato com o mundo exterior. Depois de muito tempo encarcerados, eles já não conhecem novas histórias engraçadas. Para abreviar as sessões lúdicas, eles começam a numerar cada anedota. Um dia, o preso João diz: 36! E todos riem. José não deixa por menos e dispara: 22! Todos caem na gargalhada. Marcio se aproveita e tasca mais uma: 17! O pessoal rola no chão, enlouquecido. Até que o Paulo entra no circuito e anuncia: 43! Há um silêncio constrangedor. Fecham-se os semblantes. O cara reclama, indignado, julgando-se vítima de um complô. Logo, um colega justifica a reação negativa: "pô, é que você contou muito mal".

Isso quer dizer que, além da pertinência, a boa mensagem precisa de formato adequado, de ritmo, de cor, de boa locução. Mexer com a linguagem na poesia, na publicidade e no humor exige *timing*, sensibilidade e sofisticação.

No caso da publicidade, a gestão do tempo também é fundamental. A estrutura precisa ser enxuta de modo que permita a repetição. E isso não vale somente para a boa propaganda, mas também para a boa música e a boa literatura, tanto em prosa quanto em verso. Para cair no universo afetivo das pessoas, é preciso que exista essa medida certa de tamanho, volume e intensidade.

Curiosamente, o público tem um seletor de reminiscências. As pessoas sempre apagam da memória as propagandas ruins. Por isso a publicidade é elogiada como um todo. A mente e o coração guardam e elogiam a parcela menor de campanhas que realmente tem qualidade.

Como bom profissional, morro de inveja de trabalhos feitos por colegas. O que mais me encanta é um comercial de TV produzido em 1980 na Nova Zelândia para as fitas Basf, criação do afamado e premiado Tony Williams, que tem o título de Dear John. Mostra um campo de soldados durante a guerra e a chegada da correspondência. Um deles recebe uma fita cassete, em vez de uma carta convencional. É uma mensagem da namorada, com quem pretende se casar. Ao ligar o aparelho, surge a voz da moça num canto melodioso. Ela, no entanto, comunica que está com outro, exatamente o irmão do combatente. Há um clima de constrangimento na tropa, até que um oficial elogia a peça musical e sugere que o rapaz a toque novamente. A assinatura do filme é: "até as más notícias soam melhor numa fita Basf". Brilhante.

Outra campanha espetacular foi gerada por Phill Dusemberry, da BBDO New York, para a Pepsi. Nela, um arqueólogo do futuro encontra uma garrafa de Coca-Cola numa escavação e diz não ter ideia do que se trata. Ou seja, nessa ficção, a Coca caiu no limbo da história. A Pepsi continua viva, e bem.

Também invejo as antigas campanhas da Antarctica feitas pela Alcântara Machado com o tema "nós viemos aqui para beber ou para conversar?". Não dá para esquecer também o "não é nenhuma Brastemp", campanha da Talent, obra-prima do meu filhote profissional, Ricardo Freire.

Há outros projetos mercadológicos que não dependem do brilho individual da peça. É o caso do "desce redondo", da Skol, feito pela F/Naska. Morro de inveja do todo. Outro caso digno de nota é a revalorização das sandálias Havaianas, orquestrada pela AlmapBBDO. Não é uma peça específica que impressiona. É o todo. Começa na remodelação do produto e segue no plano de marketing, nas ações de ativação da marca, nos anúncios impressos e nos filmes produzidos para a TV.

Na publicidade, a inveja é saudável. Aprendi que é fundamental cultivá-la. O publicitário precisa assistir aos comerciais feitos pelas agências concorrentes. Ver o resultado do esforço intelectual alheio é algo muito prazeroso.

Creio que, por vezes, assistir é quase tão agradável quanto fazer. Na verdade, essa varredura crítica faz parte do fazer. É uma maneira de tomar referências, de estabelecer contrastes. No mínimo, é um treino excelente, um jeito de aprimorar o que se faz.

Outro tema que gera debate no segmento é a escassez de boas histórias. Para alguns profissionais, vale hoje somente a colagem, o impacto, a exposição minimalista sem roteiro. Francamente, não creio que essa seja uma demanda do público. Na verdade, acredito que pouca gente saiba, hoje, contar uma boa história.

Os inimigos do formato narrativo misturam ingenuidade e incapacidade. O ser humano adora, sim, uma carochinha e valoriza um enredo bem construído. No entanto, isso exige exercício cerebral e conhecimento. Ciclicamente, a falta de ideias é suprida por tecnologia e por adereços. Mas essa é a virada de um ciclo.

Há quem desconsidere essa realidade, e advogue um falso novo, muitas vezes por ignorância. Um dos problemas do ignorante é imaginar que algo é novo somente porque ele não sabe que já foi feito. Ele vê ineditismo onde não existe. Na verdade, no universo da comunicação, não dá para dizer que algo é novo ou velho.

Pode mudar o jeito de contar uma história, mas jamais será possível matar esse recurso. Os grandes contadores de histórias sempre serão fundamentais, independentemente do veículo e da tecnologia empregada. Isso vale para uma conquista amorosa, para uma narrativa épica e também para produzir um sucesso de mercado.

Com certeza, atravessamos um vale, um hiato criativo, mas isso tende a mudar. É algo que acontece e desacontece em todas as áreas. Fellini contava histórias e surpreendia. Suas narrativas não eram lineares. Não tinham início, meio e fim. Pelo menos, não nessa ordem. *Amarcord*, por exemplo, engata histórias em fragmentos, de maneira criativa, trabalhando com o imaginário dos personagens e também das plateias.

Quando o grande diretor italiano se foi, alguém disse que ele tinha sido morto pela TV. Uma frase boba. Porque o cinema, efetivamente, não morreu. O cinema mudou, se refez, vai se reinventando.

A publicidade, a propósito, sempre namorou o cinema. E não somente ele. Alegremente infiel, ela se deita com a literatura, com a música, com as artes plásticas. Curiosamente, porém, quando se mete na publicidade, o cineasta normalmente se torna medíocre.

Em 2008, Martin Scorsese fez um comercial muito ruim. De bom, somente a assinatura dele. E não é implicância minha. Scorsese é um profissional de cinema maravilhoso.

Possivelmente, o mais importante diretor e ideólogo em atividade na área. Não por acaso, também é um bom contador de histórias. O próprio Fellini, gênio em sua área, chegou a fazer comerciais lamentáveis para o Campari. Eram ruins de doer.

Na mão contrária, muitos grandes cineastas, alguns meus amigos, começaram na publicidade e se treinaram para uma síntese útil nas produções para a telona. Fora do Brasil, há os casos de Ridley Scott, Alan Parker e Adrian Line, todos muito bem-sucedidos no cinema. No Brasil, temos o caso do Fernando Meirelles, do Andrucha Waddington, do Walter Salles e do Ugo Giorgetti.

Essa turma levou para o cinema um saber fundamental. Aprenderam a sintetizar, a surpreender, a lidar com prazos e até mesmo a planejar melhor o orçamento e a captar patrocínios. Deram certo.

Ameaças à
Boa publicidade

Algo precisa ser frisado mais uma vez: a publicidade tem de respeitar a inteligência do indivíduo, seja ele consumidor ou não. A publicidade também precisa ser honesta e séria. Mas o conceito de seriedade tem sido deturpado. O sério não precisa ser sisudo e chato. A genuína seriedade reside no respeito a valores. Não está expressa na formatação quadrada e não exige que o humor seja abolido.

A propaganda do primeiro sutiã é um dos dois filmes brasileiros incluídos na lista de 100 melhores comerciais de TV de todos os tempos, apresentados com detalhes no famoso livro *The 100 best tv commercials... and why they worked*, de Bernice Kanner.*

Certamente, o trabalho é uma manifestação de total respeito aos mais jovens, mas se fosse lançado hoje eu não me

---

* O outro comercial brasileiro no livro *The 100 best tv commercials and why they worked* é o filme "Hitler", criado para a Folha de S.Paulo pela W/Brasil.

surpreenderia se algum oportunista o qualificasse como incentivo à pedofilia ou outra bobagem do gênero. Isso vem ocorrendo no mundo todo, com peças de propaganda absolutamente limpas, do bem, mas que são vítimas de interpretações burras ou preconceituosas.

A ideia do politicamente correto vem sendo deturpada. Virou uma vigilância moralista, irmã da censura e da demagogia. Há quem queira sempre aparecer atacando ferozmente isso ou aquilo, disseminando paranoias na sociedade.

Esses radicalismos não constroem um mundo melhor. Pelo contrário, fazem com que todo mundo desconfie de todo mundo. Fazem com que gente correta seja apedrejada antes de qualquer julgamento formal. Afinal, divulga-se a teoria de que ninguém presta, de modo que precisamos estar todos entrincheirados, armados, em posição permanente de defesa.

Na verdade, existe a propaganda politicamente correta, em que tudo está politicamente certinho, mas o resultado pode ser uma campanha chata, bizarra ou tediosa. E existe também o politicamente incorreto, que muitas vezes é super engraçado, mas que pode ser mal-educado, preconceituoso e desrespeitoso.

No meio disso tudo, tem o politicamente saudável, o modelo de abordagem que:

- respeita a inteligência das pessoas;
- explora o bom humor e gera alegria;
- tem como baliza o bom-senso;

- não agride ninguém, isto é, não insulta etnia, condição social ou credo;
- nunca é mal-educado ou grosseiro.

Por vezes, uma peça publicitária parece perfeita, mas é monótona, enfadonha e gera só aborrecimento. Por causa dela, milhões de pessoas mudam de humor, subitamente, o que também é nocivo para a sociedade. Então, se é chata, não dá. A vida é muito curta para ser maçante.

Tem o "correto" que, na verdade, é moralista. E, pior, hipócrita, do carinha que pretende parecer sério, sem ser. Há uma regra que parece funcionar sempre: ninguém que é sério de verdade precisa insistir demais em provar sua seriedade. O apropriado, então, é ter sempre um pé atrás em relação a qualquer moralista, a qualquer um que adore apontar o dedo para os outros. Normalmente, ele combate desesperadamente aquilo que o atrai.

Nos últimos anos, alguns dos políticos norte-americanos mais moralistas foram flagrados com prostitutas, assediando pessoas do mesmo sexo ou com arquivos de conteúdo pornográfico com menores de idade. E não são poucos casos. São muitos, em altos escalões do poder.

Outra questão que precisa ser tratada é a educação informal das crianças e adolescentes. Existe uma ala de sociólogos, educadores e promotores que sonha com redomas de vidro sobre os mais jovens. Aí, eu pergunto: será que essas pessoas, apartadas das coisas do mundo, serão capazes de lidar posteriormente com a vida real? Será que a sociedade não está eliminando o saudável processo de aprendizagem, em que os indivíduos ganham anticorpos ao manter contato também com as ideias e conceitos inadequados?

Pessoalmente, considero essas ações de higienismo moral uma verdadeira loucura, uma insanidade. Se as pessoas não tiverem (desde cedo) contato com o certo e o errado, como vão poder comparar conceitos e tomar as decisões corretas? Quando se inibe a experiência, elimina-se a oportunidade do aprendizado. Há uma luta contra o empirismo que pode ter resultados muito nefastos para a sociedade.

Esse tipo de postura, se vencedora no debate político, vai criar futuros adultos idiotas. Vai produzir gente vulnerável que não aprendeu a se defender na devida janela de oportunidade. Essa postura "redomista" tem origem na falta de cultura geral, na formação mediana pra cacete de alguns pseudo-educadores e no radicalismo demagogo que costuma render votos.

Toda a educação depende de uma imersão holística no mundo. Educar é educar para o todo. E muitos profissionais estão hoje fechados no próprio conhecimento específico, que estreita e não alarga o campo de análise. Há colegas que dizem que essas pessoas não entendem nada de publicidade. Estão certos. Mas a verdade maior é que elas não entendem nada da vida. E querem que outros sigam essa receita de mergulho na ignorância.

O MELHOR
PUBLICITÁRIO

Esse profissional, o grande publicitário, é complexo. Não basta saber atender, planejar, criar e lidar com mídia. Dentro de tudo isso, um pouco de talento sempre é necessário. Mas também é fundamental que esse cara tenha disciplina.

Conheço gente ótima, excelente, talentosíssima, com ideias maravilhosas, mas que não tem disciplina, não respeita regras, prazos e limites. Muitos dos talentosos acham que por conta de suas qualidades estão dispensados de seguir uma disciplina.

E, considerando o que se faz hoje, a necessidade de talento na publicidade não é tão grande. Afinal, o que é preciso para se criar uma boa peça? Digo eu: conhecer o produto, identificar o *target* e ter algum talento para desenvolver uma ideia original. A publicidade benfeita não é necessariamente obra de superdotados. Aliás, entre os melhores publicitários, e me enquadro nesse grupo, não tem nenhum "gênio".

Para triunfar nesse campo, é preciso, sim, ser inteligente e cultivar a sensibilidade. Também ajuda ter uma boa formação. E é fundamental estar antenado. Mas eu insisto: não precisa ser gênio. Aliás, os que se acham gênios é que propagam esse mito.

Hoje, a maior demanda em nossa área é por adequadores de linguagem. O bom publicitário precisa determinar a linguagem do produto, assim como precisa conhecer a linguagem do público-alvo. A missão é compreender esses códigos e produzir uma linguagem de sedução, que desperte no receptor o interesse pela coisa oferecida no mercado.

Vou revelar um pedaço do segredo da coisa:

• A melhor publicidade não é aquela que tenta vender, mas é aquela que gera predisposição de compra.

Vamos lá, mais uma vez, para fixar bem na memória:

• A melhor publicidade não é aquela que tenta vender, mas é aquela que gera predisposição de compra.

Pronto, fiz a publicidade dessa ideia, com a repetição necessária. A tentativa de venda é prima do malho. Criar disposição de compra é uma arte de comunicação e de relacionamento. Criar disposição de compra é auxiliar o consumidor a decidir pelo melhor produto ou serviço, por aquele que atende a suas demandas específicas.

Quando isso ocorre, a pessoa compra com mais prazer e alegria. Se o produto prova as virtudes propagandeadas, ela se torna predisposta a outra compra. Esse processo limpo gera fidelização.

Digo sempre ao meu pessoal: "pô, eu não quero malhar o sujeito para vender algo na marra; eu quero é gerar uma genuína predisposição de compra".

É preciso que uma coisa fique bem clara: a publicidade, por si só, não vende nada. Se o produto não for bom, a médio prazo deixa de vender. Se a distribuição não for correta, se houver equívoco na escolha da praça, também não vende. Se o preço não representar justa troca entre empresa e consumidor, também não vai rolar algo duradouro. Então, somos parte do processo. Nossa função é criar a predisposição de compra.

Vendem hoje a ideia do publicitário holístico, que vai até o cliente conhecer o chão de fábrica, que visita o centro de distribuição, que conversa com o povo do RH, que participa ativamente na definição dos projetos de marketing.

Difundir isso como novidade é balela. Os grandes profissionais sempre tiveram esse tipo de conduta integrada nas relações com o cliente. No entanto, esses caras diferenciados nunca ficaram fazendo propaganda desse modelo de trabalho. Sempre acharam que isso era natural. Veja bem, leitor, estou falando dos grandes profissionais, e não de qualquer fazedor de anúncios.

Mas tem o ato final desse espetáculo, que é a criação da puta ideia. Ela ainda é o que agita o mercado, cristaliza a confiança numa marca ou produto e gera a tal predisposição de compra.

Bom, você deve estar pensando que sou contraditório. Deve estar dizendo: "caramba, logo acima ele disse que o publicitário não precisava ser gênio, mas agora fala em puta ideia".

Eu explico. Na verdade, a puta ideia não depende de genialidade ou magia. Ela depende de conhecimento profundo do produto, do mercado e das ferramentas de comunicação. Ela depende de uma atitude disciplinada e de "adestramento", uma palavra que adoro usar, sem medo da conotação com o treinamento de animais.

Os processos industriais geraram tremenda similaridade entre os produtos. Por isso, a persuasão vai precisar lidar com elementos sutis da psicologia do consumidor. Houve um momento, lá atrás, em que alguém cismou de engarrafar água para vender, mas nem se preocupou com publicidade.

Tempos depois, outro fez igual, e comunicou: "esta é a minha água mineral, da Fonte Saúde". Um terceiro competidor agregou diferenciação: "esta é a minha água mineral, da Fonte Saúde, tratada antes do engarrafamento". Um quarto completou o jogo, com um elemento de persuasão e outro de promoção: "está é a minha água mineral, da Fonte Saúde, tratada antes do engarrafamento, a melhor do mercado e a única que oferece copinhos colecionáveis".

Hoje, com a massa de informações comerciais, a publicidade precisa informar, diferenciar e persuadir. Se possível, também deve oferecer valores intangíveis, normalmente associados ao entretenimento e à difusão da cultura. Essa é a fórmula para que, entre tantas marcas, aquela específica atraia a atenção do consumidor.

Do ponto de vista do gesto intuitivo de informar, diferenciar, seduzir e promover, a publicidade é antiga. Começou na frente de uma caverna, quando um cara de libido alta quis exibir seus músculos e sua esperteza para ver se conquistava a filha do vizinho.

Na Antiguidade, já era possível encontrar *flyers* na Grécia e em Roma. Noutra margem do Mediterrâneo, os evoluídos egípcios também usavam pedaços de papiro para divulgar a venda de produtos.

Isso quer dizer que a propaganda tem a idade da civilização. A publicidade, se concebida enquanto atividade de divulgação comercial, também é bem antiga. O que não existia era a organização para a divulgação em escala. Isso é coisa que aparece, de forma rudimentar, com a Revolução Industrial, no século 18. O serviço estruturado das agências surge no fim da primeira metade do século seguinte, nos Estados Unidos.

Passados tantos anos, é uma profissão que essencialmente se ocupa das mesmas tarefas. O sujeito que conseguia promover o champagne Veuve Clicquot há 150 anos poderia ainda hoje cuidar da conta da empresa. Se o espírito da marca pouco mudou, esse sujeito teria apenas que reestudar o público-alvo, atualizar-se na linguagem e compreender o sistema cruzado de divulgação nas mídias hoje existentes.

Sua principal tarefa seria: falar com milhões de pessoas como se estivesse falando com uma só. A meta ainda é "persuadir a mocinha", do mesmo modo que fazia o primitivo caçador de bisões. O objetivo se mantém, mas o profissional da propaganda precisa falar com um monte de gente de uma vez só.

Essa tem sido a minha tara, aliás: falar com milhões de pessoas como se estivesse falando com uma só. É sonho de vendedor.

Um caso a ser lembrado é o do Garoto Bombril. Ele nunca pronunciou "você". Ele não diz "você". Ele precisa ter um distanciamento e ainda assim falar com milhões de possíveis consumidores. Precisa manter-se tímido e respeitoso. Nos anos 1970, a mulher ainda era tratada no Brasil de forma muito desrespeitosa e grosseira. Então, a fragilidade educada dele era muito encantadora para o público feminino. Cada mulher tinha a impressão de ser a interlocutora única e direta do personagem.

Esse paradigma tem sido preservado. Ele manteve a persuasão da publicidade, acrescentando a atualidade do jornalismo. O Carlos Moreno tem sido muitos sem jamais deixar de ser ele.

O bom publicitário, ao construir um personagem, precisa lhe dar uma biografia, com passado, presente e futuro. E ela precisa ser administrada cuidadosamente, mesmo que isso seja complicado. Isso, aliás, vale para todos nós, seres humanos. Acordamos, todos os dias, para administrar nossas biografias.

Isso deveria ser outra virtude do publicitário: saber cuidar de sua reputação. Nesse particular, tenho uma tremenda vaidade, cuidando de minhas condutas nos campos profissional e pessoal, guiando-me sempre pelos valores éticos, que são inegociáveis. Olho para minha biografia como se fosse um leitor externo e não o protagonista da história. Esse é o bom exercício dialético a ser feito.

Ando me lendo o tempo todo. Se encontro uma falha, empreendo uma autoanálise, tento me corrigir, me aperfeiçoar. Uma das coisas que mais me gera cansaço físico é passar um longo tempo antes de dormir avaliando o que fiz durante aquela jornada e planejando o dia seguinte. Por isso, sonho de forma medíocre, e jamais sonho ficção. Sonho somente com a vida real.

Escrevo estas linhas pouco antes de dormir. Logo mais, estarei sonhando que estive com um jornalista amigo e que lhe contei coisas de minha vida. Creio que isso é típico de quem exaure o gesto criativo cotidianamente. Enquanto está desperto, exercita demais a imaginação. Quando pega no sono, fica linear e acaba sonhando com a agenda. Infelizmente, não sonho que estou voando num cavalo branco, tampouco que estou na cama com a Scarlett Johansson.

Agora, aquela coisa* que ocorreu comigo nunca virou tema de sonho. Deletei. É um assunto que eu cortei deliberadamente. Não

_____

* O autor se refere ao sequestro de que foi vítima em 2001.

esqueço, lógico. Mas não transformo em pauta, para não realimentar. Tive o bom-senso de fazer isso. É algo que a gente corta na hora ou não corta nunca. Por isso, esse episódio nem gerou conteúdo para este livro. E nada de importante se perdeu com essa decisão.

Enfim, para retomar o tema deste capítulo, convém lembrar que o exercício da imaginação é fundamental para o bom publicitário. Eu me treinei para olhar com os olhos do outro. Estou sempre imaginando como o telespectador vai ver a propaganda no horário nobre, por exemplo. Desde garoto, eu me exercitava nisso, analisando o universo que me cercava, vendo como as pessoas reagiam a cada gesto, a cada acontecimento.

Tem outro atributo que é importante nessa construção de competências. Trata-se da capacidade de surpreender e encantar. Eu, como adolescente, já sabia que essa era uma ferramenta de competição. Gerar surpresa constituía um trunfo competitivo.

Por fim, eu digo que o publicitário precisa entender que pode ser considerado um gênio pela manhã e uma besta à tarde. Faz parte do nosso negócio. Por conta de minha personalidade competitiva, quando comecei imaginei jamais ser recusado, o que na verdade se evidenciou impossível.

Felizmente, como fiquei bobo e deslumbrado na idade certa (bem jovem), assimilei algumas derrotas e baixei minha bola. Aprendi a me prevenir contra as grandes euforias que muitas vezes conduzem a grandes erros. Essa postura me manteve um competidor, mas sem provar o sofrimento do mau perdedor.

MODÉSTIA
E HUMILDADE

Julgo-me bem sortudo por ter obtido sucesso profissional muito cedo. Repito: quando isso acontece, ficamos bobos na idade certa. Então, somos poupados do ridículo. Desde o início da carreira, estive sempre muito ocupado. Então, não encontrei tempo para grandes deslumbramentos. Precisava encarar diariamente um novo desafio, provar tudo de novo, conforme exige a dinâmica da publicidade.

Logo criei uma máxima, que botei na cabeça, e passei a repetir: "eu gosto e exijo que me levem a sério, mas eu mesmo não posso me levar tão a sério".

No meu caso, o talento era pedra bruta, que depois foi lapidada. Hoje, eu tenho maturidade e segurança para reconhecer perfeitamente essa condição inicial favorável. E considero que não é motivo de vergonha reconhecer características, tendências e qualidades.

Em todas as profissões, encontramos pessoas que tentam assumir o papel do falso modesto. Em geral, esses indivíduos sabem que têm algum talento especial. E tentam teatralmente minimizá-lo ou escondê-lo, com o intuito contrário de realçá-lo. O que acho disso? Uma atitude absolutamente execrável.

Sempre fui humilde. Modesto, jamais. A humildade é diferente da modéstia, que é sempre *fake* demais. Tive sempre a humildade de reconhecer que eu tinha essa propensão natural para a escrita e para a comunicação. E humildade também para admitir que fui melhorando aos poucos, com treinamento e adestramento. Se a pessoa não assume seus talentos e capacidades, muitas vezes está querendo escapar das responsabilidades e cobranças.

Nessa área, o importante é que as pessoas sejam transparentes, que mostrem suas competências e suas fragilidades, sempre procurando eliminar ou reduzir essas últimas. Todo mundo tem qualidades e defeitos. O importante é que o indivíduo faça um inventário desses bons atributos e determine onde pode empregá-los.

Considerei, desde cedo, que podia usar meus talentos e conhecimentos no ramo da publicidade. Se não estivesse ciente dessa inclinação, teria escolhido outra profissão. Se sei que sou bom nisso, deixo as pessoas à vontade para me cobrarem desempenho e resultados. É uma regra que vale para encanadores, estatísticos, engenheiros, atores, jogadores de futebol e políticos. Diga o que pode e sabe fazer. Atenda às exigências do seu público.

Aos mais jovens, costumo sugerir que desenvolvam a habilidade de rir de si próprios, de exercitar a autocrítica e treinar um pouquinho a "autorridicularização". Com isso, o indivíduo fica mais verdadeiro, menos deslumbrado, menos prepotente. No meu caso, funciona como um artifício psicanalítico. Como sou pretensioso, faço comigo mesmo. Coordeno as minhas sessões.

MANOBRAS
E POLÍTICA

Eu brinco, há tempos, que ninguém da antiga esquerda gostou mais dos projetos de distribuição de renda do que nós, publicitários. Porque isso, para nós, é fundamental. Abriram-se novos mercados, novos nichos de consumo, ao mesmo tempo em que se apresentaram novos desafios na comunicação com as classes emergentes. Isso realmente está oxigenando as agências, como a minha, produzindo choques de inovação extraordinários.

Para mim, no entanto, a grande questão do Brasil atual é a educação, formal ou informal. Com uma educação melhor, teremos consumidores mais preparados e críticos, também capazes de compreender a mensagem publicitária e separar o joio do trigo.

Fora todos os clichês, movimentamos de fato a máquina econômica. Promovemos um produto ou serviço que seja bom de verdade, construímos desejo, estimulamos o consumo, impulsionamos a produção e, como resultado, geramos empregos e riquezas que podem ser compartilhadas. Essa é a função primordial do profissional de publicidade. Mas como bons intrometidos e "invasores" de lares e mentes, podemos colaborar ainda mais com a construção de um país melhor. Além de nossas obrigações de venda, podemos sempre acrescentar uma informação útil, um incentivo, mesmo que na forma de um simples sorriso.

Nas épocas em que aumenta a massa de publicidade, as pessoas se conscientizam mais acerca do que é uma mensagem comercial. Jogo limpo. Ao desenvolverem visão crítica, podem valorizar as melhores campanhas, aquelas que têm menos malho e mais informação e entretenimento. É um caso de depuração.

Fazer benfeito não é só questão de caráter, mas também de sempre estimular o melhor negócio. É bom para o país que exista qualidade na propaganda do melhor carro, do alimento mais barato, da escola mais capacitada. Ajuda as pessoas a escolherem. Ajuda o mercado a se aprimorar. Porque a empresa menos qualificada vai se esforçar para superar os padrões dos líderes do segmento. A boa propaganda faz as coisas funcionarem melhor, e mais rapidamente.

É lógico que a gente não vai gerar grandes revoluções no quadro social, mas pode colaborar na implantação de bons hábitos e no combate a gestos predatórios, sempre com um incentivo à reflexão. A mensagem publicitária não apenas vende, mas também estimula as pessoas a pensarem sobre os grandes temas, tanto na esfera individual quanto coletiva.

Nestes novos tempos, o aprimoramento no trabalho do publicitário pode ganhar a valiosa colaboração das pessoas da minha geração. Vivemos o período da ditadura militar, o tropicalismo, a resistência, a anistia, a redemocratização, a estabilização econômica do FHC e, agora, o período da distribuição de renda e do crescimento acelerado. Foi um puta aprendizado e agradeço demais por ter vivido intensamente tudo isso.

Lá para trás, eu folheei muito o Mayakovsky, um poeta russo. Todo mundo lia nos círculos universitários da época. E uma frase dele parece explicar esse sonho da juventude dos anos 1960 e 1970:

• A arte não é um espelho para refletir o mundo, mas um martelo para forjá-lo.

É uma frase engajadona, mas interessante porque exibe um fator geracional. Muita gente ali queria ser protagonista. Isso difere até da rebeldia. Não era só destruir, fazer ruir, ser do contra. A ideia era fazer algo de novo. Por isso, nunca estamos satisfeitos. Eu, por exemplo, nunca estou. Confesso que tenho uma verdadeira tara por estar atrelado ao que existe de mais novo.

Como não faço campanha política, posso falar à vontade sobre isso. Em 2010, por exemplo, a propaganda eleitoral me irritou profundamente. Em um determinado momento, José Serra e Dilma Rousseff me pareceram muito antigos. Acabei simpático a Marina Silva, talvez de maneira desproporcional ao que ela merecia, porque os outros dois me passavam algo com cheiro de mofo, pelo menos nos formatos e nas mensagens.

Digo isso com total isenção, porque políticos não sustentam o meu negócio. Nunca votei em fulano ou beltrano porque queria a conta dele. Algumas discussões de fundo moralista e demagógico tomaram a campanha presidencial, especialmente no final. Uma pena que Serra tenha se deixado pautar por esse debate, porque isso não corresponde ao verdadeiro Serra. E isso também não tem nada a ver com o pensamento dominante do partido de Lula, que no geral não alimenta preconceitos.

Repito que foi decepcionante, uma pena. Curiosamente, os programas sugeriram uma má reflexão, virada para trás, para o passado. Essa preferência por temas medievais desperdiçou o tempo do país. Era a oportunidade para que os candidatos propusessem o novo. Tinham que inaugurar o horário gratuito dizendo algo assim:

— Eu não vou dar porrada em ninguém;

— Eu não vou puxar o saco do presidente da República;

— Vou só contar para você, eleitor, o que eu, na prática, pretendo fazer para tornar esse país mais legal, mais democrático, mais moderno, mais apto a gerar oportunidades e menos sacana com o meio ambiente.

Comparada aos outros dois, Marina até que conseguiu passar uma mensagem desse tipo, mesmo com pouco mais de um minuto.

Agora, é esperar que o governo Dilma, distante da disputa eleitoral, siga na trilha do novo, sem reviver essas polêmicas que envolveram preconceitos e demagogia. Vamos olhar para frente, fazer crescer economicamente este país maravilhoso, incluir mais gente na roda produtiva e fazer o inédito vingar. Se optarmos por esse caminho, a publicidade ganhará ânimo e estímulo. Dela, brotarão novas ideias extraordinárias, que certamente servirão de alavanca para conduzir o Brasil ao lugar que merece.

O SENTIDO
DAS PALAVRAS

No decorrer do tempo, fui moldando conceitos atrelados a algumas palavras importantes em meu aprendizado de vida. Algumas delas estão aqui e geram respostas breves, mas não menos profundas, à proposta deste livro.

Amor

Esse é um conceito amplo pra cacete, e vai sempre mexer muito com a gente, com nossos valores. O amor pode ser dedicado a uma mulher. Pode ser dedicado a um filho. A um amigo. A um time de futebol. São todos amores.

Existem amores para a vida inteira, grandes, como aquele que tenho por meus pais, por meus avós, por minha tia, por minha mulher, por meus filhos. Esses aí são normalmente incondicionais. A gente ama, mesmo quando não tem por quê.

Reconheço ainda amores de espasmo, mais associados ao que se convencionou chamar de paixão. Mas são amores também. Existe uma tendência a considerar amor de verdade somente aquele que não tem fim, que é para sempre, muito em razão da moral religiosa e social vigente.

Mas existe também amor real e autêntico na diversão, naquilo que tem tempo marcado, no que é fugaz. Bom mesmo, para a vida, é colecionar todos esses amores, pequenos e grandes, e colocá-los na caixa das memórias. Não importa se a pessoa amada na juventude sumiu, se foi viver em Cingapura, se nunca mais deu notícias. Importa é guardar o registro do amor que deveras existiu.

Nada contra os grandes e eternos amores, mas amorzinhos também são muito bons, valiosos, joias ricas. Aprendi a colar um amorzinho a outro para fazer amorzões. É justo, bom e gostoso.

Lealdade

Esse é um conceito importantíssimo para mim, sagrado em todos os aspectos – e que está intimamente associado ao conceito de amor. Os melhores amores são aqueles que envolvem lealdade.

Poucas coisas na vida, pra mim, são tão trágicas quanto a perda da confiança em alguém. Aí, não tem volta. Posso até fingir que tem retorno, mas não tem. Eu sou bem daqueles que até perdoam, mas não esquecem.

A lealdade é *sui generis* no campo dos relacionamentos e sentimentos. Ela nunca aparece de cara. Não existe lealdade à primeira vista. Ela vai sendo formada aos poucos. E vai ganhando características próprias, vai sendo construída com blocos de convivência, de um jeito trançado, com fios entretecidos pelas pessoas envolvidas na amizade, na parceria profissional ou na relação amorosa. Então, construir lealdade exige tempo, dedicação e conhecimento mútuo. Quem é realmente leal tende a angariar mais amigos leais. Isso é fato.

Traição

Essa é inaceitável. E todo mundo já se sentiu traído pelo menos uma vez. Para pessoas que têm autoestima alta, como eu, a traição parece ainda maior. Como me julgo ético, honesto, generoso, acho sempre que a traição jamais vai acontecer. Julgo que não mereço. Um traído com baixa autoestima normalmente não se abala tanto. Ele já espera. Agora, para quem tem autocrítica e se autovaloriza é totalmente devastador viver essa experiência.

Amizade

É fundamental, gera conexão com qualidade, mas quase nunca tem a amplitude que a gente gostaria que tivesse. As pessoas que têm muitos amigos não chegam, com frequência, a ter um alto grau de intimidade com todos. Hoje, as pessoas tendem a constituir amizades que ficam na superfície. Por isso, algumas redes sociais on-line chamam os amigos de "contatos". No mundo dos negócios, também vem ganhando força o termo "contatos profissionais".

Para mim, os amigos sempre foram um alimento. Eles oferecem opiniões sobre o que fazemos e apresentam suas próprias experiências. As amizades nos ajudam a acertar o foco, a calibrar a voz do sentimento.

Por mais cuidadosos que sejamos, no entanto, deixamos sempre de aproveitar nossas amizades. Há sempre um bom amigo para quem não ligamos há meses. Há sempre alguém que espera nossa visita, que nunca acontece.

Fazemos isso porque não levamos em conta a realidade inexorável do tempo. Deixamos para o amanhã possível. Protelamos. Isso porque hoje agimos como se fôssemos viver por 500 anos. Consideramos sempre que, um dia, magicamente vai sobrar tempo para aquele telefonema ou jantar.

Por isso, admito que sou tomado por certa melancolia quando penso na questão tempo versus amizade. Tem lá o pensamento do velho do bar, em *O Céu que nos protege*, filme de Bernardo Bertolucci. Ele diz que sempre acreditamos num número ilimitado de luares a serem observados, e que por isso não merecem tanto de nossas atenções. Na sequência, afirma que os luares sem fim compõem uma ilusão. Não serão tantos assim. Para alguns de nós, serão pouquíssimos.

Por vezes, acordo e me pergunto: "por que faz tempo que eu não tomo um vinho com fulano?" Às vezes, no meio do dia, penso: "poxa, faz um mês que eu não almoço com o Paulo Salles".

A vida profissional faz com que troquemos muitos desses momentos adoráveis por atividades desinteressantes. Não é propriamente uma queixa, mas uma constatação. A pauta do dia tem muitas coisas desagradáveis, sempre muitas delas inevitáveis. Mas a vida me ensinou que uma boa transgressão é adulterar a agenda para rever um bom e velho amigo. Sempre vale a pena.

Sabedoria

Para mim, é a somatória-mistura do aprendizado com a experiência. O saber não depende somente de captura de informações e assimilação de métodos. Depende da vida, da maneira como descobrimos mecanismos de lidar com ela, especialmente com o imprevisto. A plena sabedoria precisa ser buscada. Mas, obviamente, é uma utopia. A gente ambiciona alcançar, mas nunca chega lá.

No fundo, isso é bom, pois mantém viva a curiosidade. Aí, vale a frase do Sócrates (não o meu amigo craque da bola, mas o filósofo grego): "só sei que nada sei". Quando a gente pensa nisso, logo vem o tesão por aprender alguma coisa. Funciona.

112

PESSOAS,
ÍDOLOS E EXEMPLOS

Já disse que o mais legal é interagir solidariamente, trocar experiências, expandir o conhecimento (gosto de dividir descobertas, em especial no ambiente de trabalho). Mas também há pessoas em nossas vidas que vimos pouco e outras que nunca chegamos a conhecer. E elas não são menos importantes.

Tenho muitas referências na música popular, nas artes plásticas e na literatura. Truman Capote é um desses caras, um dos criadores do *new journalism*, que passou a misturar literatura e narrativa jornalística.

Costumo ler ensaios do Capote, que são coisas espetaculares. Gosto dos textos dele até mesmo do período em que foi considerado decadente, inclusive por si próprio. Continuava escrevendo muito bem. Corriam os anos 1970, e ele já estava muito "destruído", mas seguia botando as coisas com maestria no papel. Dessa turma tem muita gente boa, como Tom Wolfe e Gay Talese.

Eu tive a oportunidade de virar amigo de alguns dos meus ídolos, isso bem antes de ter sucesso profissional. São amizades que se mantêm até hoje. Muitas dessas pessoas eram da área da música, que sempre foi o meu principal radar social. Na verdade, minha maneira de entender o mundo passa sempre pela música popular.

Aliás, eu detesto quando encontro alguém que se deixa seduzir por um único estilo de música e se fecha naquele estilo e naquele universo simbólico. É o caso de quem só ouve sertanejo. Ou só rock. Ou só música clássica. Pelo menos no campo da comunicação, não dá para ter esse tipo de atitude sectária.

Tem coisas das quais, *a priori*, não gosto. Mas ouço mesmo assim. Por vezes, até mudo de opinião. E fico bem contente com isso. O desprezo leva ao não conhecimento, à ignorância voluntária. E isso é tão ruim quanto o produto cultural eventualmente desprezado.

O Gil e o Caetano, eu conheci quando tinha 17 anos. Eles tinham quase uma década a mais de vida do que eu, o que parecia o tempo da eternidade. E faziam coisas que pareciam esquisitas para muita gente. Muitos não paravam nem mesmo para analisar as composições da turma de inovadores da Bahia. Para alguns, essa atitude derivava de um preconceito estético. Para outros, de um preconceito de natureza ideológica.

Por uma série de motivos, eu e muitos outros de minha geração não gostávamos nada do governo, que era uma pusilânime ditadura militar. No fundo, todos nos considerávamos de esquerda, mas tinha uma esquerda mais careta e conservadora, e havia outra que era "desbundada", não no sentido da alienação, mas da admiração por uma estética nova e libertária. Estive sempre alinhado com essa segunda ala.

Nesse campo, sempre mantive diálogo com os inventores, numa relação que atravessou décadas. Por exemplo, é uma honra ter estado na cabeça inspirada de Jorge Ben Jor, e na letra de *W/Brasil (Chama o Síndico)*. Legal demais ligar o rádio do carro e escutar: "Alô, alô, W/Brasil; Alô, alô, W/Brasil". É a maior coisa que pode acontecer na vida de um sujeito. Vale mais que mil troféus. Além de ser inserido na cultura popular, o homenageado se vê cantado na boca das pessoas comuns. Comuns e tão especiais.

No caso dos amigos, conhecidos ou não, consegui escolher alguns que viraram referências de vida. Tenho muitos super-heróis de estimação, como o Boni e o André Midani. É uma sorte e uma honra tê-los encontrado pelo caminho.

Na juventude, especialmente, precisamos eleger alguém em quem possamos nos espelhar. E nisso podemos cometer erros graves, elegendo erradamente uma figura. Se você se conscientiza das coisas, fica tremendamente decepcionado com o sujeito. Se continua ouvindo suas opiniões, adquire vícios e defeitos.

Entre os caras que eu nunca conheci, mas sempre admirei, está o Marcelo Mastroianni. Um ator fantástico, uma pessoa maravilhosa. Lembro de uma entrevista que concedeu ao Roberto D'Ávilla. Dali, saiu um raciocínio maravilhoso, que é mais ou menos assim: "deveríamos ter direito a duas vidas, uma para ensaiar e outra para representar".

A literatura me trouxe outras referências. Li tresloucadamente muita coisa acerca de James Joyce, de Ernest Hemingway, de Gertrude Stein, essa turma que habitou Paris numa época espetacular. Interessante é que aprendi que nem todos eram fantásticos como eles. Nessa geração, havia os medianos também. Então, para se pensar em pessoas e ídolos, é preciso considerar todo mundo que circulava por ali. Os ídolos são também resultado de um contexto, de um ajuntamento de ideias geradas e nutridas por anônimos.

É o caso desse povo citado pelo jornalista Peter Biskind no livro *Como a geração sexo-drogas-e-rock'n'roll salvou Hollywood: easy riders, raging bulls*. Trata do que teria sido o último apogeu criativo do cinema norte-americano, mais ou menos entre 1967 e 1980, em que se destacaram figuras como George Lucas, Martin Scorsese, Francis Ford Coppola e Steven Spielberg.

O trabalho mostra como essa leva de grandes cineastas ganhou o controle de boa parte da produção cinematográfica depois da débâcle de muitos dos superestúdios. Essa turma começa com coisas incríveis e profundas, como *Easy rider*, de 1969, produzido pelo Peter Fonda e dirigido por Dennis Hopper. Esse trabalho é marco de uma época, de um abalo sísmico poderoso no mundo das ideias e comportamentos.

Mas nessa geração de transformadores tem também gente que lidou mais diretamente com os produtos de massa da indústria cultural. Dois deles são os coprodutores executivos de *Easy rider*, Bob Rafelson e Bert Schneider, pouco conhecidos no Brasil. Ambos trabalharam em muitos projetos "cabeça", mas desde 1966 estavam fazendo boa grana com os Monkees, o quarteto de pop rock versão *prêt-à-porter* dos Beatles que conquistou jovens do mundo todo, inclusive no Brasil, por meio de um seriado de TV.

Esse pessoal sabia lidar com negócios. E sabia levantar fundos para suas outras produções. Rafelson, por exemplo, viria a trabalhar com Jack Nicholson em vários filmes, como no cultuado *Cada um vive como quer*, de 1970, e *Dia dos loucos*, de 1972 — o título original desse filme, aliás, *The king of Marvin Gardens*, faz uma alusão a uma das propriedades da antiga versão do jogo Monopólio.

Schneider irritaria os seguidores do *mainstream* ao trabalhar dedicadamente na produção de *Corações e mentes*, de 1974, dirigido por Peter Davis, um documentário que mostrava o outro lado da Guerra do Vietnã, expondo o racismo e o preconceito de políticos e líderes militares norte-americanos, além de dar voz aos vietnamitas.

Ou seja, esse é um exemplo que pode não ser seguido, mas que deve ser avaliado. Muitas vezes, a gente não precisa idolatrar alguém para aprender com sua experiência.

Esse caras que inventaram os Monkees ficaram muito ricos, mas carentes de aceitação intelectual. E isso, muitas vezes, conta demais no campo das artes e da comunicação. Tanto é que em 1968 foi lançado o filme *Head*, no qual os quatro jovens se envolvem numa aventura cômica com linhas psicodélicas. Logicamente, como uma antítese dos Monkees da televisão, não deu certo. A fita foi exibida para muitas salas quase vazias nos Estados Unidos.

O ator Michael Nesmith (um dos rapazes do quarteto) chegou a dizer, muito tempo depois, que *Head* traduzia um esforço intencional de Rafelson para "matar" os Monkees, de modo a cortar relações com sua produção comercial. Posso interpretar de outro modo. Rafelson queria fazer um filme sobre sua própria obra e atividade, como se fosse um Fellini. Seria o *8 ½* dele, produzido a partir de uma plataforma de diversão. Tentou e não funcionou. Como saber o que realmente passava pela cabeça do sujeito?

O que vale nesse caso é analisar como os personagens nessa guinada do cinema fizeram coisas díspares, desde importar estéticas de subjetividade europeia até produzir filmes de arrasar quarteirão, ao estilo de *Guerra nas Estrelas* e *ET, o extraterrestre*.

Já que tratamos aqui de pessoas, vale lembrar que esses camaradas fizeram também inimigos, alguns declarados, outros não. Na cerimônia do Oscar, em abril de 1975, por exemplo, Bert Schneider, homem dos Monkees e coprodutor de *Corações e mentes*, disse:

— É irônico que estejamos aqui justamente no momento que antecede a libertação do Vietnã.

Depois, leu um telegrama com saudações de amizade ao povo norte-americano, enviado pela delegação de vietcongues à cúpula da paz em Paris. A mensagem agradecia todos os movimentos que haviam lutado pelo fim da guerra.

O cantor Frank Sinatra disparou a resposta dura a Schneider, pouco depois, lendo um comunicado de Bob Hope, outro apresentador do evento:

— A Academia diz: não somos responsáveis por qualquer referência política feita no programa, e lamentamos que tenham sido feitas esta noite.

Portanto, é interessante notar que todas as pessoas admiradas também ganham inimigos. Tenho alguns poucos, conhecidos ou desconhecidos. Quando uma pessoa é muito exposta, recebe a antipatia e o ódio de uns tantos. Comumente, os detratores idealizam coisas acerca do famoso.

Tem gente que nem me conhece, mas parte do pressuposto de que sou prepotente. E pronto. Não há Cristo que mude essa opinião. E eu não sou prepotente coisa nenhuma. Sei das minhas qualidades e defeitos. Solicito ajuda quando não sei algo, admito minhas falhas e peço desculpas quando identifico um erro. Travo diálogos com o empresário de sucesso, mas também bato altos papos com o garçom ou com o guardador de carros. Tudo na boa.

Então, muitas opiniões são criadas a partir de inferências equivocadas. Isso é ruim porque gera desencontro e preconceito. Muita gente perde oportunidades na vida porque não desiste das opiniões prontas criadas acerca de outras pessoas. É uma pena. Nesse caso, falta humildade para buscar o verdadeiro outro e, eventualmente, fazer um *mea culpa* pelo julgamento precipitado.

No campo das rixas, há um monte de associações ridículas. Se o cara é gordo, deve ser bobo. Se o cara é bonitão, deve ser viado. Se a mulher é gostosa e ganhou uma promoção, deve estar saindo com o chefe. Isso é realmente lamentável. Triste. E são hábitos que estão em todos os lugares, até nos tidos como mais chiques e requintados.

Outro dia na sua coluna de *O Globo*, o Caetano lembrou uma frase do filósofo alemão Friedrich Nietzsche que é um verdadeiro bálsamo para quem não se conforma com esse tipo de mediocridade:

— É preciso defender os fortes contra os fracos.

Se eu percebo que alguém virou meu inimigo, eu deleto. Não falo nem o nome. Coloco de lado. Isolo. A vida me ensinou que a melhor maneira de lidar com a inveja destrutiva é não lutar contra. Por isso, não engendro vinganças e nem penso em sacanear o sujeito. Eu isolo simplesmente. Não alimento.

Eu posso ser o cara do confronto, sim, mas somente se isso for da batalha, da discussão, do combate no campo das ideias. Gosto de competição saudável, mas abomino a briga. Tenho uma grande capacidade de praticar a cordialidade. E também de engolir sapos.

No entanto, admito que tem um limite. Por vezes, o ataque é reiterado, e está fora do debate de ideias. Se há sabotagem, cafajestada e se outras pessoas se tornam vítimas, eu posso ficar doidão. Aí, meu comportamento se torna completamente inadministrável.

Porque eu sou bem tolerante, e precisa de muita provocação para eu atingir meu limite. Porém, quando isso ocorre, aí é explosivo, não tem volta. Sei que é algo absolutamente hereditário, dos Olivetto. Só que meu pai tinha esses surtos com frequência. Eu, não. Quando acontece é porque acumulou demais. É quando a barragem do bom-senso não deu conta de segurar.

PRESENTES
E RECORDAÇÕES

O Ricardo Freire, que é ex-brilhante-publicitário e atual brilhante-turista-escritor, tinha como intenção publicar um livro com os meus bilhetes. Ele os considera ótimos, o que muito me orgulha. Talvez a virtude dessas peças de comunicação esteja na síntese.

Nesse ofício de pequeno missivista eu me policio para que o conteúdo não exiba a expertise profissional. Não quero que fiquem menos sinceros nem menos verdadeiros.

Na verdade, desde os 18 anos de idade, estou atrás de uma coisa que escreve. Antes era a máquina, com fita, hastes que se encavalavam e papel que furava. Depois, chegou o computador e tornou tudo mais rápido e limpo. Mas resisto a dispensar a mídia papel.

À mão, o que tenho escrito é cheque. Ou melhor, nem cheque mais. Há muitos e muitos anos, esses assuntos de pagamentos são resolvidos pelas secretárias.

Fechando o raciocínio, admito que é mais delicado escrever um bilhete à mão. Fica mais sincero, mais verdadeiro. Mas preciso caprichar bastante para deixá-los inteligíveis. Em caso contrário, é necessário que sejam levados à farmácia para devida decifração. Parecem receita de médico.

Os bilhetes feitos na arte dos dedos combinam mais com os presentes personalizados, uma marca registrada minha. Sei, por exemplo, que meu amigo Ricardo Scalamandré, da Globo, gosta de um dry-martini. No aniversário dele, mandei um completo, com todos os componentes, o que incluía a taça, o *shaker*, o gin tônica, o vermouth e até as pedras de gelo. Pois é isso que fazia a graça do regalo: um kit que chegasse com o gelo pronto.

Dá uma certa mão de obra, mas a vida me ensinou que o efeito é fantástico. Para alegrar outro amigo, mandei buscar linguiça na cidade paulista de Bragança Paulista porque tinha de ser aquela. Comprei o pão na Basilicata. Arranjei uma lentilha especial, que mandei preparar segundo uma receita exclusiva. Tudo para um kit tipicamente italiano, oferecido como presente de aniversário.

Repito que é trabalhoso, mas é uma arte rara, um exercício criativo, uma atividade gostosa. Presentear dessa forma é típico de gente treinada para ser curiosa e louca para ver a reação das pessoas diante de situações inusitadas.

No dia em que eu me mostrar apático e sem vontade de observar reações, saiba, amigo leitor, que estarei me aposentando.

Esse desejo me é tão importante quanto a inveja saudável dos bons trabalhos da concorrência.

No caso dos presentes, é possível que a mesma pessoa seja surpreendida duas, três, dez vezes. Pois o objeto simbólico se renova, e também se muda a reação. E o cartão é importante para atualizar a mensagem, para fazer tudo parecer diferente.

Por causa das namoradas da juventude, fiz uma frase bastante conhecida e muitas vezes publicada por aí:

— O cartão é mais importante do que as flores.

Essa frase repercutiu tanto que foi até comicamente distorcida pelo Ruy Castro, que afirmou valer principalmente o (cartão) de crédito.

A verdade é que a possibilidade de alguém comprar flores iguais para uma mesma pessoa é muito grande. Fora o fato de essas joias naturais murcharem rapidamente. Já o cartão, se for realmente bem escrito, a moça vai guardar pra vida toda.

Como dar
sentido à vida

Como um todo, a vida é fantástica, encantadora. Mas a verdade é que são raros os períodos realmente prazerosos, sem embaraços, mal-estar e constrangimentos.

Quando nascemos, não sabemos nos comunicar. E isso é muito ruim. Tudo bem, é legal ficar no colo da mãe e não precisar trabalhar ou estudar. Mas quando você sofre com alguma dor, por exemplo, não tem recursos simbólicos para explicar claramente o que está sentindo. E essa é uma época de cólicas, coceiras e assaduras. Sem contar o xampu no olho, durante os banhos forçados.

Aí, você cresce um pouquinho e se livra de boa parte desses problemas. Mas logo já te colocam na escolinha. É preciso acordar cedo, mesmo em manhãs frias. Muitas vezes, a professora é chata pra cacete, embora se finja de simpática. E tem um colega cujo divertimento é te aporrinhar. Tudo bem, você já pode andar de bicicleta e jogar videogame. Mas isso somente depois de fazer a abominável lição de casa.

Lá pelos 14 ou 15 anos você já está maior e pensa que entende o mundo direitinho. Você já tem uma certa autonomia. Já te permitem pegar um ônibus e viajar até o outro lado da cidade. Mas é uma época estranha, em que você perdeu os direitos de criança e ainda não ganhou aqueles dos adultos. Você tem espinhas na cara, sua voz parece a de uma taquara rachada. Se é uma garota, sangra a cada 28 dias.

Nessa fase, você está perdidamente apaixonado por uma garota da sua classe, mas ela só tem olhos para o grandalhão do terceiro ano do ensino médio. Está se ferrando de novo, portanto.

Aí, você passa por aquela pressão da escolha vocacional, mas tem pela frente o Enem, o cursinho, o vestibular, a adaptação à universidade. Normalmente, você não dispõe de muita grana, justamente na fase da vida em que teria mais motivos e oportunidades para gastá-la. No estágio, só te mandam buscar cafezinho ou fazer tabela no Excel.

Então, depois de muito esforço, você se forma. Mas é hora de arranjar um emprego. E precisa ser um bom emprego, daqueles que garantam bom salário e algum prestígio.

Quando você começa a se estabilizar, surge a pressão do casamento. Você se enrosca na prestação do apartamento, e agora não pode mais dar a planejada volta ao mundo, e nem pode mandar às favas o chefe que te inferniza todos os dias, das 9h00 às 18h00, de segunda a sexta-feira.

Muitas vezes, lá pelos 30 anos, quando você pensa que vai ter algum sossego, a parceira ou parceiro começa a querer "discutir a relação". Se a coisa piorar, pinta o drama do divórcio, com participação sórdida de sogras e cunhados. Por vezes, seu patrimônio é pulverizado nas tratativas da separação.

Você recomeça, então, uns anos depois, mas a nova parceira já sente o rogo da maternidade. De novo, você adia o projeto de fazer aquela viagem de volta ao mundo. Pronto. Logo aparece no berço um daqueles pimpolhos lindíssimos que acabam com suas noites de sono. Caramba, afinal onde será que dói? Por que ele chora tanto? Devo levar ao hospital ou será que me viro só consultando *A vida do bebê*, do Dr. Rinaldo De Lamare?

Agora, você tem que ser muito responsável. Se houver outra separação, terá gente miúda envolvida. Então, você se resigna a engolir uns sapos. Ouve uns desaforos da mulher e fica pianinho. Desculpe a narração masculina, mas isso serve para os dois lados, ainda mais numa sociedade em que as mulheres já são protagonistas. Elas também se resignam. Deixam o porcalhão botar o pé sujo no sofá, fazer xixi na lateral da privada e queimar os domingos com futebol, do matutino campeonato italiano até os gols do *Fantástico*.

Vai passando o tempo e você sofre junto com os filhos, nas fases já citadas. Nessa época, seus pais começam a ficar doentes com mais frequência. Por vezes, é preciso trazer um deles ou os dois para morar com você. Quando era criança e adolescente, eles não te deixavam sair. Agora, você não pode sair porque precisa cuidar deles. Afinal, quem vai dar o remédio para a pressão arterial e para controlar a diabetes?

O tempo, então, cisma de se apressar. Seus cabelos encanecem, a barriga aumenta, a vista enfraquece, os músculos se afrouxam. O negócio agora é quebrar a cabeça com o planejamento previdenciário. Nessa época, os mais velhos da família começam a partir. Você começa a ter uma ideia da solidão. Começa a sentir saudade.

De noite, vez ou outra, lembra da viagem de volta ao mundo que nunca fez. Será que ainda dá tempo?

A verdade é que os períodos de verdadeiro prazer e diversão são muito efêmeros.

Isso não quer dizer que não valha a pena viver e seguir o percurso do tempo. Eu mesmo tive e tenho momentos de muito prazer e felicidade. Um desses momentos foi quando atingi a maioridade. Tudo me surpreendia. Eu tinha mobilidade. Eu conhecia pessoas novas todos os dias. Eu sabia que tinha energia e tempo para realizar meus mais malucos projetos. E acredito que não foi diferente com muitos dos leitores deste livro.

No entanto, considero que são hiatos numa trajetória que envolve muitíssimos estorvos e estresses.

Há quem consiga prolongar esses momentos venturosos, mas nem sempre isso é possível ou conveniente. Em geral, isso depende de uma burla, de um embuste. Essas pessoas, frequentemente, se transformam em eternos filhos de papai ou em veteranos irresponsáveis e dependentes.

A vida me ensinou, portanto, que o negócio é mesmo curtir os curtos bons momentos, e tentar multiplicá-los, sempre. Se há um conselho que realmente posso dar é este: tente fazer com que sejam muitos os seus curtos momentos de felicidade.

Para atingir esse objetivo, é preciso ter algum planejamento, controle do tempo e disposição para inovar. Em minha vida, tenho experimentado padrões de repetição, desde o primeiro emprego. É o trabalho, é a cobrança, é o reconhecimento, é o prêmio e depois a loucura pra fazer tudo benfeito de novo.

Virei refém disso. Para garantir a reputação, preciso sempre oferecer um serviço com grau de excelência. Ao mesmo tempo, no entanto, me predisponho sempre, obsessivamente, a fazer o novo de novo, a produzir mais momentos de felicidade. Todos os dias, me pergunto: "o que você, Washington, está fazendo de novo, na profissão ou na vida pessoal?"

Esse comportamento é característico de quem é alucinado pela cultura pop, gente que tem necessidade de se reciclar, de estar jovem o tempo inteiro. Por isso, quero sempre saber o que os jovens estão pensando. Quero falar com eles e saber o que acham do meu trabalho. Busco o tempo todo essa sintonia, e quando ela ocorre ganho mais um tablete de felicidade.

Não vou contar quem são, mas tenho amigos na MPB, gênios talentosos, que botam espiões em seus shows. O objetivo

131

é ver se há garotadinha na plateia e registrar seus comentários sobre o espetáculo. Essa é uma obsessão de quem lida com a cultura pop. Obsessão pela eterna juventude. Isso ocorre no mundo inteiro. Bob Dylan e Mick Jagger também fazem isso.

No campo pessoal, há muitas formas de fazer a vida mais interessante. Enquanto escrevo estas linhas, por exemplo, penso que minha mulher e meus filhos chegam ao aeroporto de Cumbica, em Guarulhos, às 5h45 do próximo domingo. Estão em férias na Europa e eu estou cheio de saudade.

Pensar nisso é bom. Como também é imaginar um jeito especial de recebê-los. Onde vou levá-los? Como será a primeira refeição com eles depois do retorno? Que coisas incríveis terão para me contar? Tudo isso é refrescante. Esse reencontro vai gerar um momento fabuloso. Mas é certo que preciso estar preparado mental e espiritualmente para vivê-lo intensamente.

O mais legal é que eles são personagens conhecidos, mas voltam diferentes da viagem. São as mesmas pessoas, mas com bagagens agora modificadas.

Esse é talvez um dos grandes segredos do viver bem: surpreender-se com as coisas já conhecidas. Para quem vê o mundo sem as lentes escuras da preguiça e do comodismo, há sempre algo de novo naquilo que já foi apresentado. Esse é, aliás, o segredo de sucesso dos casamentos que duram. Todos os dias, os cônjuges buscam a novidade e o ineditismo no mesmo personagem companheiro.

Isso vale também para os colegas de trabalho. Há chefes que tentam se convencer de que já sabem tudo sobre um subordinado que atua na empresa há seis meses. Ele conversou por menos de quinze minutos com o colaborador, mas acha que conhece todas as suas qualidades e defeitos. Esse tipo de arrogância é que destrói lideranças e liderados. Na agência, vivo me deixando surpreender positivamente pelas pessoas. Surgem ideias geniais de onde menos se esperava.

Podemos também nos surpreender quando somos hábeis para fazer leituras diferentes de um mesmo antigo texto. Faça o teste. Assista hoje a um filme visto pela última vez há quinze anos. Você se surpreenderá. Perceberá detalhes que passaram batidos da primeira vez. Agora, sua bagagem permite um exercício cognitivo mais complexo e mais prazeroso.

No campo da publicidade e das artes midiáticas, é cada vez mais difícil produzir a obra-prima, a coisa autenticamente nova e original. Isso porque a produção é massiva, no mundo todo. E a divulgação desse material é imediata e global.

No Youtube, você vê coisas novas todos os dias, produzidas por agências ou por grupos de estudantes universitários. Então, esse impacto da novidade se dilui um pouco. Antigamente, esse período de estarrecimento durava sete dias, em Cannes, quando víamos coisas realmente espetaculares, algumas nunca antes imaginadas.

Hoje, a quantidade de coisas legais, exibidas a todo momento, atenua ou neutraliza os impactos. Uma coisa legal é logo suplantada por outra também muito legal.

O que é preciso sacar é que alguns momentos ou ações podem alterar todo um eixo de produção cultural e de comportamento. Isso ocorre de vez em quando. E é preciso ver quando muda a maré.

Há um exemplo disso na música, bem contado no documentário *Uma noite em 67*, de Renato Terra e Ricardo Calil. Na noite de 21 de outubro daquele ano, no Teatro Paramount, em São Paulo, houve uma disputa que extrapolou a avaliação de vozes e interpretações. Naquele Terceiro Festival da Música Popular Brasileira, promovido pela TV Record, havia um debate feroz no campo da cultura e da estética.

De um lado, estavam os mais conservadores. De outro, os mais jovens, os rebeldes, botando guitarra elétrica na MPB. Gil e Caetano estavam na disputa, disseminando a insurreição tropicalista. Tudo aquilo gerava vertigem porque quebrava paradigmas e fundia modelos num bacanal antropofágico que dava gosto de ver.

A grande sacada desses caras, Terra e Calil, foi construir significados capazes de surpreender, até mesmo a partir de temáticas que já tinham sido exploradas muitas vezes. Bateram tudo no liquidificador, refizeram leituras, numa experimentação que emprestou novas cores e brilhos a antigos ícones da cultura.

Nesse caso, a ordem dos fatores altera o produto. Em 1916, o escritor francês Georges Polti publicou um livro no qual afirma que existem basicamente 36 situações dramáticas. Elas compõem as estruturas de roteiro para o teatro e para o cinema.

São estruturas do tipo:

• Resgate ou libertação: um desafortunado, uma ameaça e um libertador;

• Crime seguido de vingança: um criminoso e, obviamente, um vingador.

Quando a luz se apaga e surgem os letreiros de apresentação no cinema, você já sabe que vai assistir a uma variação dessas 36 histórias. Nem por isso pega sua pipoca e abandona a sala de exibição. Afinal, há muitas maneiras de contar a mesma saga. Assim como há muitos meios de combinar duas ou mais situações dramáticas.

Alguns grandes humoristas dizem que basicamente existem sete piadas. Mudam os cenários, os personagens e as razões. Freud, o pai da psicanálise, dividiu as anedotas em dois tipos básicos: as ingênuas, que compõem jogos de palavras, e as pilhérias tendenciosas, que recorrem a um preconceito ou referência erótica. No primeiro caso, o que gera o riso é a surpresa com o inesperado ou com o coincidente. No segundo, o "engraçado" se escora na oposição à diferença e na exposição exagerada ou ridícula de estereótipos.

Piadas muito parecidas em estrutura, no entanto, podem arrancar o riso desatado da plateia, mesmo que contadas com uma diferença de poucos minutos. Isso porque a vida humana necessita da liberação proporcionada pelo humor.

Há 800 anos, São Tomás de Aquino afirmou que a brincadeira era necessária à vida humana e que os chistes ajudavam a reconstituir as forças do espírito. Logicamente, isso não era consenso. No livro *O nome da rosa*, Umberto Eco trata inclusive dessa polêmica. Em sua história, gente é assassinada porque valoriza o riso numa suposta obra clássica da Filosofia.

Enfim, quem quiser viver bem precisa ter coragem de ver e ouvir, mesmo que novamente, e buscar o novo naquilo que já foi apresentado mil vezes.

Não sei se a culpa é dos programas de estudo ou dos professores, mas me parece desativada uma ferramenta utilíssima para fazer essa leitura diferenciada dos textos e objetos: a Semiótica. Dos muitos amigos que passaram por faculdades de comunicação, sou um dos últimos a manter interesse nessa disciplina.

A Semiótica estuda as manifestações da cultura enquanto sistemas sígnicos, operando na esfera da música, da fotografia, do cinema, da religião e das outras ciências. Compreender a arte dos sinais tem sido vital para perceber que um mesmo trabalho artístico pode trazer inúmeras mensagens embutidas. Também oferece um arsenal de conhecimentos que permitem interpretar e refazer as relações entre forma e conteúdo.

Há variações de foco e metodologia entre o pessoal da semiótica e da semiologia, mas ambas auxiliam no processo de interpretação e construção dos signos que fazem a mediação entre o mundo e os sentidos.

Na verdade, os textos de semiótica são complicados, densos e até mesmo chatos. Mas muitos estudos nessa área nos ajudam a ressignificar o mundo. Isso é importante por quê? Porque é um jeito de dar nova cara e também novo sentido ao que criamos e àquilo que "lemos" no cotidiano, seja na publicidade na TV, seja na roupa que a molecada usa nas *raves*.

A comunicação constitui uma malha de contato entre vários saberes humanos. Um exemplo disso é o trabalho de Abraham Moles, que era engenheiro elétrico, físico, filósofo, sociólogo, psicólogo e mais um montão de coisas.

Esse sujeito tinha um jeito especial de espiar o mundo pelo buraco da fechadura. Escreveu sobre a teoria da informação e a percepção estética, por exemplo, estendendo o olhar sobre um amplo campo da atuação humana. Mas também mirou em detalhes, como a relação entre arte e computador. Não à toa, inspirou gente que hoje se reúne numa associação que estuda a micropsicologia no campo das comunicações.

Muitos desses estudos, no entanto, acabam se apresentando na forma de textos massudos, com construções rebuscadas e até confusas. Ergue-se assim um muro entre o interesse e o conhecimento.

Na verdade, os conteúdos didáticos costumam ser bastante inadequados, já desde o ensino fundamental. Eu mesmo, na área das ciências exatas, sempre tive desempenho constrangedor. Brinco que não consegui aprender quase nada do programa de química, e que tenho até hoje sérias dúvidas sobre a fórmula da água. De alguma forma, fizeram com que não fosse a minha praia.

Paradoxalmente, no entanto, aos 17 anos, comecei a ler sobre física quântica, assunto que é do meu interesse até hoje. Os físicos ortodoxos vão querer me fritar, mas vi sentido até em textos que demonstravam relações entre a mecânica quântica e as manifestações do candomblé.

Nos tempos de hoje, não ligo mais para os rótulos ou para as ignorâncias absolutas que estreitam a visão de muitas ciências. A construção do saber hermético, gerador de autoridade nas academias, afastou muita gente da busca pelo verdadeiro conhecimento. No mundo atual, não há lugar para pedantismos de doutores vetustos e rabugentos.

Hoje, estudo livremente. Leio sobre mitologia grega e compreendo um pouco mais sobre os arquétipos humanos. Quando posso, olho para o latim, para a etimologia, e aprendo um pouco mais sobre a história por trás das palavras. Ajuda a gente a ser mais preciso. A encontrar as fórmulas descritivas e narrativas mais apropriadas.

No Brasil, sempre me incomodei com as idiossincrasias de certa classe de gênios super diplomados. José Guilherme

Merquior, por exemplo, era um sujeito de cultura vasta, muito sabido mesmo, mas que tinha apreço pela propriedade do gesto intelectual e do trânsito das ideias. Isso, sinceramente, me desagrada.

Durante muito tempo, atribuí isso à juventude do nosso país. Nessa travessia adolescente, os eruditos se viam no direito de assumir comportamentos soberbos, quase insolentes. Depois, comecei a visitar outros países, como a França e os Estados Unidos. E encontrei lá os mesmos tipos presunçosos. Conclusão: não importa o lugar, há sempre um chato que se julga detentor da exclusividade de algum saber, mesmo que seja um falso saber, desconectado da realidade.

Nesse campo, há muita gente que segrega o popular. Para esses, se é popular, não pode ser culto. Ou seja, sustentam-se numa doutrina suprematista que qualifica o povo como ignorante. Caso algo venha das pessoas consideradas comuns, não vale. Francamente, essa é uma tremenda bobagem.

De vez em quando, abro o jornal e vejo lá um ótimo escritor, poeta consagrado, descendo o pau na música popular. Meu Deus! Não é para ser levado a sério. Provavelmente, quer aparecer. Não importa o estilo. Afinal, se alguém compõe uma canção e obtém grande aceitação popular, certamente tem algum mérito. O trabalho pode até não me agradar, mas admito que o autor acertou na formatação, que soube atender às expectativas do seu público.

As academias têm hoje, mundo afora, gurus e discípulos, muitos deles lutando para herdar uma cadeira. Muitos desses novatos, no entanto, já brincam com a própria condição. Sabem que certa pseudo-filosofia serve bem para pegar moçoilas ou moçoilos intelectualmente indefesos. Ou seja, se havia um clichê, ele passou a ser um guia de conduta conveniente.

No caso da educação, muita coisa se resolveria com talento criativo e leveza. Malba Tahan, por exemplo, é ótimo para mostrar a qualquer um os encantos da matemática. E ele não precisa se estender em fórmulas complicadas. Ele funde a ciência à narrativa. Bota a ciência dos números em situações de vida.

Se a matemática fosse mais popular, seria aprendida por mais gente. E é lógico que a coletividade iria se beneficiar disso. No entanto, ainda hoje não parece ter ocorrido uma mudança significativa nos métodos de ensino. Ainda vemos meninos e meninas amaldiçoando as contas e as fórmulas.

E mais. Em se tratando das ciências numéricas, que lidam com exatidões, vejo muita gente arvorando inteligência quando, na verdade, tem apenas competência técnica; às vezes, nem tanta quanto necessário.

A inteligência, aliás, pode ser moldada no decorrer do tempo. A inteligência, enquanto faculdade de compreender e aprender, pode ser elevada, sim, senhor. Um bom sistema de educação seria capaz de assumir essa missão, de qualificar as pessoas para o desafio da construção do conhecimento. Eu repito que essa é a grande questão nacional. Uma formação adequada resolveria os problemas de muitas empresas. Nos próximos anos, a maior ameaça ao crescimento do Brasil é justamente a escassez de mão de obra especializada ou apta a especializar-se rapidamente.

Como o livro vai chegando ao final, eu preciso retomar o fio da meada. Logicamente, cada um tem seu jeito de dar sentido à vida. Eu sempre quis me antecipar. Eu brinco que sou um sujeito da internet antes da internet existir. Aos 17 anos, durante a madrugada, eu pegava o carro e ia comprar o Estadão, na Major Quedinho, e a Folha, na Barão de Limeira. Lia tudo, e depois ia dormir. Equivale hoje a ler os portais on-line de notícias antes de o dia raiar. Eu queria estar o mais próximo possível do chamado "tempo real". Queria me antecipar.

Desde cedo, também, quis estar desperto para ver o mundo acontecer. Eu sempre dormi pouco, coisa que herdei de minha mãe. Então, caía na farra, comprava os jornais frescos e lia. Pensava na vida e, só depois, me entregava a Morfeu. Desde sempre, durmo umas cinco ou seis horas por noite. E está bom demais.

Para concluir, eu diria que a vida faz sentido quando sabemos para que servimos, quando nos entregamos a essa atividade e quando fazemos o melhor por nós e pelos outros. Em geral, as pessoas podem fazer bem várias coisas, mas há uma na qual se excedem em qualidade. As grandes individualidades surgem dessa descoberta e da inserção no meio em que essas habilidades podem ser devidamente aproveitadas.

Se você ainda não se "achou", esse é um tema no qual você deveria pensar ainda hoje, antes de dormir. E não cogite apenas experimentar atividades que possam lhe render dinheiro. Considere nessa reflexão suas habilidades e seus mais recônditos desejos. Afinal, seguindo a pergunta publicitária do Grupo Pão de Açúcar, exposta nas vozes de gente talentosa como o Arnaldo Antunes e o Seu Jorge, o que faz você feliz?

Não tenha receio de indagar-se. E de tentar responder. Vai ajudar a dar sentido a sua vida.

Boto epílogo neste relato-ensaio-desabafo afirmando que a paternidade é algo sagrado. Meu pai foi legal comigo e sua dedicação foi uma esplêndida lição de vida. Copiei muitas coisas dele. Hoje, sou pai de um adulto, diretor de cinema, um cara de quem me orgulho muito. Também sou pai de um casal de gêmeos, dupla que tinha 6 anos durante a produção deste livro. São duas gerações diferentes, que se complementam. Os três me brindam diariamente com novidades.

Não se pode aprender somente com os mais velhos. Os mais novos também têm muita coisa a ensinar. Quando eu era criança, meus pais sempre se esforçaram para me dar confiança. Deu certo. E eu repliquei isso com as pessoas que cruzaram meu caminho. Ganhei a confiança de homens de negócio que viraram clientes, de profissionais que viraram equipes, de pessoas virtuosas que viraram amigos, de mulheres que viraram namoradas ou esposas. Olha só como meus pais fizeram o serviço benfeito.

Hoje, procuro infundir confiança em meus filhos. Curiosamente, eles entendem a mensagem e fazem o mesmo com o pai, numa retribuição amorosa. É uma troca na qual ninguém perde. Todos ganham.

Isso dá sentido à vida.